Das nächste bitte! Der Arzt, Kabarettist und Bestsellerautor Dr. Eckart von Hirschhausen betrachtet die Welt mit diagnostischem Blick, wundert sich und schmunzelt: Warum bleibt die Summe der Haare am männlichen Körper immer gleich? Was ist dran am neuen nächtlichen Volkssport «Gaumensegeln», und wie bezwingt man das Ungeheuer von Wellness? Mit Liebe zum komischen Detail und zu den Menschen lernt er Gelassenheit nicht mit Hilfe indischen Ayurvedas, sondern im Verkehrschaos der indischen Hauptstadt. Eckart von Hirschhausen entlarvt die Deutsche Bahn als Sekte und Online-Sein als spirituelle Erfahrung. Seine Geschichten sind ansteckend lustig. Zu Risiken und Nebenwirkungen lesen Sie am besten nicht die Packungsbeilage – sondern das ganze Buch!

Dr. med. Eckart von Hirschhausen (Jahrgang 1967) studierte Medizin und Wissenschaftsjournalismus. Seit über fünfzehn Jahren ist er als Kabarettist, Humortrainer, Redner und Autor in den Medien und auf allen großen Bühnen Deutschlands präsent. Sein Markenzeichen: intelligenter Witz mit nachhaltigen Botschaften. Unter dem Motto «Humor hilft heilen» gründete er «Rote Nasen Deutschland e.V.». Er sammelt unermüdlich Spendengelder und bringt Clowns in Krankenhäuser. Mehr über den Autor erfahren Sie unter: www.hirschhausen.com.

Erich Rauschenbach (Jahrgang 1944) hat Grafik-Design an der HDK Berlin studiert. Seitdem arbeitet er als freiberuflicher Karikaturist und Illustrator für diverse Verlage, Zeitungen, Zeitschriften und das Fernsehen. Weitere Informationen gibt es unter www.erich-rauschenbach.de.

Dr. med.
ECKART von HIRSCHHAUSEN

Die Leber
wächst

mit ihren Aufgaben

*Komisches
aus der Medizin*

Cartoons von Erich Rauschenbach
Rowohlt Taschenbuch Verlag

21. Auflage Januar 2009

Originalausgabe · Veröffentlicht im Rowohlt Taschenbuch Verlag, Reinbek bei Hamburg, April 2008 · Copyright © 2008 by Rowohlt Verlag GmbH, Reinbek bei Hamburg · Umschlaggestaltung ZERO Werbeagentur, München, nach einem Entwurf von Esther Wienand (Foto Umschlagvorderseite: Frank Eidel, Berlin, Umschlagrückseite: Thomas Willemsen, Lokomotiv) · Satz Bitstream Charter PostScript (InDesign) · Gesamtherstellung CPI – Clausen & Bosse, Leck · Printed in Germany · ISBN 978 3 499 62355 4

Inhaltsverzeichnis

Fast-Vorwort

«Vorwörter liest doch eh keine Sau», meint mein Lieblingsfernsehgastgeber und öffentlich-rechtlicher Privatpatient Harald Schmidt. Und deshalb erspart er sich das Schreiben und Ihnen das Lesen. Lieber Harald, für dieses Zeichen tiefer Verbundenheit und Rücksichtnahme möchte ich mich ganz herzlich im Namen der Leser bedanken.

Es folgt das Vorwort, das Harald Schmidt nicht geschrieben hat – im Wortlaut. Und, wie er mir persönlich versicherte, gilt es auch unverändert für die zweite, dritte und jede folgende Auflage und alle Übersetzungen.

Harald Schmidt, Köln im April 2008,
vor Diktat verreist

Männer und Frauen

Fotozellen – Regentanz auf öffentlichen Toiletten

Ich fühle mich beobachtet. Bis hinein in die privatesten Dinge. Sogar auf der Toilette. Da gibt es ja jetzt – angeblich zum Wassersparen – diese Fotozellen. Keine Armaturen mehr. Nichts zum Drehen. Nur noch so ein gerupfter Wasserhahn ohne Flügel, dafür mit einem Zyklopenauge.

Bei der modernsten Ausführung sind selbst die Fotozellen nicht mehr zu sehen. Worauf bitte reagieren die? Auf schmutzige Fingernägel? Auf Geruch? Auf Bewegung?

Angesichts dieser Fortschrittlichkeit fühle ich mich plötzlich ganz alt. Geradezu alttestamentarisch. Als Moses mit einem Handschlag in der Wüste Wasser aus dem Berg sprudeln ließ – da lief das schön manuell, da wusste man, woran man war, ganz ohne Fotozellen, die in pseudo-göttlicher Willkür ihre Gnade walten und das Wasser wallen lassen.

Aber jetzt stehe ich hier wie ein Depp vor einem Wasserhahn, der mir den Dienst versagt. Ich versuche es mit Bewegungen jeglicher Art, kleinen, großen, fuchtelnden und langen rhythmischen. Wahrscheinlich ist im Kampf mit einem automatischen Wasserhahn in einem Jugendzentrum in der Bronx genau so der Rap entstanden.

Da das Wasser selbst durch die coolsten Hände-Moves nicht zu bewegen ist, fange ich automatisch an, die Füße zu bewegen, beginne zu tanzen, fühle diese Urkraft in mir, die unsere afrikanischen Brüder verspürt haben müssen, wenn sie verzweifelt für Wasser tanzten. Um den Gott des Wasserhahns sanftmütig zu stimmen, vollführe ich jetzt regelrechte Regentänze vor dem Waschbecken. Und schäme mich nicht, dazu passende Lieder anzustimmen, von «Zeigt her eure Füße» bis «Singing in the rain».

Dann kommt plötzlich das Wasser – und zwar richtig. Es läuft mit Schwung ins Becken, durch das Becken durch und auf mein Becken.

Und dann weißt du auf einmal, wofür dieses Heißluftgebläse wirklich gut ist. Denn in dem Stadium der totalen technischen Demütigung ist es dir egal, dass du in Unterhose auf einer öffentlichen Toilette stehst und versuchst, deine Hose an einem asthmatischen Föhn zu trocknen.

Und zwischendurch das Lächeln nicht vergessen, man weiß ja nie, wer am anderen Ende der Fotozelle tatsächlich sitzt. Und ob das mit versteckter Kamera nicht demnächst ins Fernsehen kommt.

Auch bei den Pissoirs mit Automatikspülung frag ich mich immer, bis wohin ich im Bild bin. Und wer schaut sich das an? Ob es im Internet geheime Chatroom-Seiten mit Toiletten-Webcams gibt, auf denen per Mausklick und Online-Befragung entschieden wird, wann gespült wird? Das würde einiges erklären.

Derart überflüssige Technik reizt mich zum zivilen Ungehorsam. Wenn ich allein auf der Toilette bin, stell ich mich vor ein Pissbecken, täusche Urinieren an und mache dann zwei Becken weiter. Oder ein bis anderthalb. Oder geh richtig gemütlich erst auf die Schüssel, aber streiche dann beim Rausgehen fies einmal mit der flachen Hand an allen Pissoirfotozellen vorbei, dass die sich so was von erschrecken und alle gleichzeitig anfangen zu flennen. Bis der Wasserspareffekt dahingeflossen ist!

Neulich war ich in der Schweiz. Dem Land der Reinlichkeit. Und bekam mal wieder den Wasserhahn nicht motiviert. Ich versuchte ihn zu beschwichtigen: «Hey, lass uns Freunde sein, ich will mir nur einmal die Hände waschen und nicht auf Dauer hier wohnen» – automatisch fingen meine Füße an zu zappeln. Ich war gerade mitten in meinem Tanz, da merkte ich, wie mich ein Schweizer von der Seite anstarrte. Er stellte sich kurz vor das Becken, das Wasser kam sofort, und er ging. Haben die Fotozellen dort die Fingerabdrücke aller Eidgenossen gespeichert? Nein – beim dritten Schweizer kapierte ich den Zauber: Die haben überhaupt keine Fotozellen, sondern, viel raffinierter: einen rein mechanischen Fußschalter!

Pheromone – Der Nase nach zum Traumpartner

Können Sie sich selbst gut riechen? Nein? Für unseren eigenen Körpergeruch sind wir nasal blind. Umso feiner sind unsere Antennen für die Gerüche anderer, bis hin zu Gerüchen, die wir gar nicht bewusst wahrnehmen, die aber unterschwellig unser Verhalten steuern. Denn frischer Schweiß riecht gar nicht. Sonst würde man es ja in der Sauna gar nicht aushalten. Er enthält aber Pheromone, sprich: Sexuallockstoffe. Für diese haben wir sogar ein eigenes Sinnesorgan: das Vomeronasal-Organ. Ein kleines Grübchen in der Nasenscheidewand, das uns bei der Partnersuche helfen soll, die schlimmsten Fehlentscheidungen des Auges zu korrigieren. Mit dem Vomeronasal-Organ kann man theoretisch in einer vollbesetzten U-Bahn mit geschlossenen Augen seinen Traumpartner finden. Wie das geht? Immer der Nase nach, denn: Liebe geht durch die Nase.

Unser Schweiß regelt die Celsius im eigenen Körper und die Zentimeter zu anderen Körpern. Ob wir jemanden gut riechen können oder nicht, regeln spezialisierte Schweißdrüsen, die Duftdrüsen, zu finden an den Haarwurzeln. Überhaupt haben wir Haare nur noch dort, wo sich ein Duft länger frisch halten soll. Am Kopf, unter den Armen, zwischen den Beinen. Wir erschnuppern im Geruch von anderen deren genetischen Quellcode. Eine Großmutter kann auf der Neugeborenenstation mit der Nase feststellen, welches Hemdchen von ihrem Enkel getragen wurde – selbst wenn sie ihn noch nie gesehen oder gerochen hat. Verrückt. Wir wissen also, wer zu uns passt und wer nicht. «Wer sich nicht riechen kann, sollte auch keine Kinder machen», raunt uns die Natur mit dem Runzeln der Nase zu. Wenn die Chemie indes stimmt, soll uns der Geruch der Liebsten am besten überall mit hinbegleiten: in Form eines Schnüffeltuchs zum Beispiel oder eines getragenen T-Shirts zur Überbrückung der Abwesenheit. Der Geruchs-

wahn geht bis ins Religiöse: Im Petersdom werden Schweißtücher sogar seit 2000 Jahren aufbewahrt, bis der ursprüngliche Träger wie-
derkommt!

Schweißtücher galten als erste Reliquien, die noch lange nach dem
Tod der Heiligen Wunder tun. Also, wenn Sie wissen wollen, ob Sie
ein Heiliger sind, lassen Sie doch einfach mal Ihr feuchtes Saunatuch
zwei Wochen lang in der Sporttasche und schauen, was passiert. Aber
nicht wundern!

Tatsächlich erkennen wir unterbewusst, welcher genetische Typ zu
uns passt und welcher nicht. Wir suchen uns in-stink-tiv die besten
Gene für die nächste Generation, damit deren Immunsystem mög-
lichst variantenreich in den Wettkampf mit den Parasiten gehen kann.
Das ist die evolutionäre Grundlage aller Romantik! (Nach meiner
Erfahrung eignet sich das aber nicht als Gesprächsthema bei Tisch,
vor allem, wenn man sich gerade erst kennenlernt.)

Die praktischen Konsequenzen dieser Geruchsfixiertheit kennt
jeder aus dem näheren Umfeld: Da gibt es immer eine masochisti-
sche Freundin, die man bekniet, sich doch endlich von ihrem doofen
Typen zu trennen. Und sie sagt: «Ich weiß, er behandelt mich schlecht,
aber er riecht so gut!» Dieser wichtige Sinn geht mitunter bei Schön-
heitsoperationen kaputt. Vielleicht sieht man das deshalb so oft: eine
schöne Frau. Die Nase ist gerade, aber der Typ ist völlig schräg.

Man muss sich einfach gut riechen können, von Anfang an. Und das
ist gar nicht selbstverständlich. Frauennasen finden Männerschweiß
normalerweise – bähh. Aber nicht immer! Um die fruchtbaren Tage
herum wird aus dem «Bähh» ein «Ahh»!

Frauen wissen, wovon ich rede. Die Männer haben davon in der
Regel keine Ahnung. Und von der Regel auch nicht. Das ist das evolutionäre Geheimnis der Frau – die stille Ovulation. Bei anderen Pri-
maten wird die Brunftzeit klar signalisiert: roter Popo – grünes Licht!
Aber Menschenmänner wissen nie genau, wann eine Frau fruchtbar
ist, und sind deshalb gezwungen, sich den ganzen Monat über Mühe
zu geben. Das macht ja auch Sinn für die Paarbindung und letztlich

für die Aufzucht von so mangelhaft lebenstauglichen Babys, wie wir sie bekommen. Ich wette, wenn Männer wüssten, wann es biologisch drauf ankommt, würden wir an exakt zwei Tagen im Monat den Müll runterbringen!

Andersherum betrachtet ist die männliche Achselhöhle eine Art «Ovulations-Radar». Wer sich als Kerl in der Disco fragt: «Wo sind heute Abend die größten Chancen, meine Gene in die nächste Generation zu katapultieren, wo finden hier eigentlich gerade die Eisprünge statt?», dem reicht es, einfach einmal mit erhobenem Arm den Raum zu durchschreiten. Wenn sich dann eine Frau gleich irritiert naserümpfend wegdreht, weißte Bescheid. Da musst du auch keine Drinks mehr spendieren. Das wird an dem Abend nix. Die Nase eines Mannes verrät vielleicht seinen Johannes, aber die Nase einer Frau weiß schon nach Sekunden, was aus Johannes an dem Abend noch wird. Die meiste Zeit im Monat sucht die Frau im Mann den Versorger, aber wenn es genetisch drauf ankommt, den Besorger. Für die Kleinen nur das Beste, und das muss nicht der Treuste sein. Mit dem Eisprung steigt auch die Lust auf einen Seitensprung. Also, Jungs – Ovulationsradar einschalten! Und damit das mit dem erhobenen Arm nicht ganz so dämlich aussieht, mein kleiner Tipp: einfach ein Handy in der Hand halten, dann wirkt es ganz natürlich.

Weil wir alle wissen, wie wichtig unser Körpergeruch für die Fortpflanzung ist, versuchen wir, die Natur zu überlisten. Wir wollen unsere Chancen verbessern, indem wir unseren Eigengeruch neutralisieren und durch universellen ersetzen. Wir duschen, rasieren, schrubben und föhnen, und am Ende kommen noch Deo und Parfüm obendrüber. Was ist eigentlich in Parfüm? Pheromone! Von Tieren. Moschus ist das Analsekret des Moschusochsen. Ich denk mir das nicht aus und fasse kurz zusammen: Wir Menschen schämen uns, unter dem Arm zu riechen wie ein Mensch, und halten uns ernsthaft für attraktiver, wenn wir dort riechen wie ein Ochse am Arsch!

Ich wüsste zu gerne, was Ochsen über uns denken.

Leben verheiratete Menschen länger, oder kommt es denen nur so vor? Dieser alte Witz beinhaltet eine der aktuellsten Fragen der Medizin: Warum werden Menschen unterschiedlich alt?

Die Rezepte für ein langes Leben werden überall gesucht. Unlängst schrien die Forscher «Hurra», weil eine Fruchtfliege ein paar Wochen länger lebte, nachdem man ihr die Nahrung künstlich verknappt hatte – aber was ist das für ein Leben? Die Genetiker nennen das Lebens-Verlängerungsgen INDY, als Abkürzung für: I'm Not Dead Yet – Ich bin noch nicht tot. Da sage noch jemand, Gentechniker hätten keinen Humor!

Aber was lernt man von abgemagerten Fruchtfliegen, die nicht sterben wollen? Wer nichts zu sich nimmt, den will auch der Tod nicht mehr zu sich nehmen? Keineswegs. Der Preis ist schon im Leben hoch: Durch das Fasten stellt der Körper alle Funktionen auf Sparflamme; was Energie braucht, wird eingestellt. Und dazu gehört vor allem die Fortpflanzung! Da lebt die Fliege nun also mit der perfekt abgehungerten Wespentaille, hat Zeit bis zum Abwinken – und bekommt Sparprogramm statt Sex. Arme Sau.

Und wir Menschen? Warum, verdammt nochmal, leben Frauen länger als Männer? Liegt es an unterschiedlichen Lebensstilen? Anderen Belastungen? Genen und Hormonen? Die Forscher taten sich schwer, bis der Bevölkerungsforscher Marc Luy eine geniale Idee hatte: Er suchte nach einer Gruppe Menschen, in der Frauen und Männer unter nahezu gleichen Bedingungen leben. Er fand sie im Kloster, wo die Sterbetafeln der Nonnen und Mönche ihm ein großes Geheimnis verrieten: Über die Langlebigkeit wird nicht in der Körperzelle, sondern in der Klosterzelle entschieden. Die Mönche und Nonnen beweisen: Wer im Kloster lebt, kommt später in den Himmel. Und die größte Sensation: Die Lebenserwartung von Nonnen liegt nur ganz leicht über der ihrer Geschlechtsgenossinnen außerhalb der Klostermauern. Aber: Die Mönche leben fünf Jahre länger als Männer in anderen Berufen und Berufungen! Jungs! Damit ist eindeutig widerlegt, dass wir Männer rein genetisch dazu verdammt sind, früher zu sterben! Also ab ins Kloster, Nahrung verknappen und auf Fortpflanzung verzichten? Welche Varianten der erotischen Energieverluste im Kloster praktiziert werden, entzieht sich meiner Kenntnis. Ehrlicherweise muss man aber sagen, dass der körperliche Verschleiß durch den Fortpflanzungsakt deutlich größere Opfer auf Seiten der Frau verlangt als auf Seiten des Mannes. Ungefähr im Verhältnis von neun Minuten zu neun Monaten – von der Zeit danach mal ganz abgesehen. Wenn Mönche nachts aufstehen, dann wegen der Stille, nicht um zu stillen. Nein, es muss noch andere Gründe für die Lebensverlängerung außer der sexuellen Enthaltsamkeit geben.

Auch tagsüber genießen die Mönche zum Beispiel viel mehr kooperative Routine als kompetitives Rattenrennen. Was tun Männer draußen nicht alles, um Aufmerksamkeit zu erregen, im ewigen Kampf um die knappe Ressource Frau? Wer Jesus nachfolgt, braucht dazu keinen Porsche. Wer seine größten Karrierechancen sowieso erst nach dem Leben kommen sieht, verbringt weniger Energie mit der Absicherung irdischer Hierarchien. Und obwohl die Braukunst in den Klöstern floriert, sind Geistliche weniger anfällig für Rausch und Rauchen, die klassischen Männerkiller.

Könnte es nicht sogar sein, dass auch die Abwesenheit von unnötigen Entscheidungen das Leben verlängert? Zum Beispiel ist die Frage «Was ziehe ich heute an?» schnell beantwortet: die gleiche Kutte wie gestern. Praktisch. Wenn das alle so machen, muss sich keiner dafür schämen. Das spart jeden Tag eine halbe Stunde – bei Nonnen bis zu zwei Stunden.

Oder die Frage: Wann gibt es heute Frühstück? Seit 500 Jahren zur gleichen Zeit! Früh aufstehen klingt zwar hart, aber man geht ja auch früh zu Bett. Außerdem gibt es nicht jeden Abend 300 Parallelveranstaltungen, zwischen denen man sich entscheiden soll.

Und dann: Was muss ich heute alles lesen? Ganz einfach: Nur DAS eine Buch! Das liest man schließlich seit 2000 Jahren, ohne dass es langweilig zu werden scheint.

Die Mönche zeigen: Männer leben länger als «Brüder» denn als «Terminator». Doch egal, ob man ein Leben nach dem Tode erwartet oder nicht, zu eilig sollte man es nicht haben, das herauszufinden. Es ist so einfach, glücklich zu sein. Schwierig ist nur, einfach zu sein.

Haare – Von der lockigen Versuchung bis zum Trennungsgrund

Friseure sind Spezialisten für einschneidende Erlebnisse. Neulich hab ich, statt aufzupassen, beim Schneiden diese Zeitschriften gelesen, die man sich nie kaufen würde, aber dann doch ganz gerne mal ... und zack, da ist es passiert – die neue Frisur. Mürrisch zahlen und dann frisch entstellt auf die Straße. In diesem Moment ahnte ich, was Heidegger gemeint haben muss mit «ins Leben geworfen sein».

Schon in der Antike hatte das Glück eine total verunglückte Frisur. Die Haare standen alle nach vorne ab, der Hinterkopf war kahl. Fortuna mit Föhnfrisur symbolisiert: Die günstige Gelegenheit kommt nur einmal auf dich zu. Wenn du sie nicht sofort beim Schopfe packst und in deine Höhle schleppst, ist die Chance vorbei.

Ältere Männer erinnern sich oft an Fortuna und kämmen die letzten verbliebenen Haare von hinten nach vorne. So richtig glücklich sieht das allerdings selten aus.

Haare sind Glücksbringer. Da hat neulich der Friseur von Neil Armstrong eine Locke des ersten Menschen auf dem Mond an einen Sammler verkauft. Für 3000 Dollar. Und dagegen hat der Astronaut geklagt. Juristisch eine Haarspalterei. Wem gehört das Haar, wenn es abgeschnitten wurde? Darf der Friseur für das Abschneiden Geld verlangen, wenn das Abgeschnittene mehr wert ist als das, was dranbleibt?

Haare sind ein Stück Lebenskraft, Macht, Testosteron. Nach jüngster Rechtsprechung dürfen Männer selbst bei der Bundeswehr Pferdeschwanz tragen! Die Frisur wird in jeder Verfassung von der Verfassung geschützt, «Scheiße-aussehen-Dürfen» ist Menschenrecht. Die Freiheit, seine Kopfhaut zu bedecken wie man will, wird auch am Hindukusch verteidigt.

Bei der Gelegenheit: Es sind nicht die Männer mit besonders viel

Testosteron, denen die Haare ausfallen. Es liegt allein an der erblich bedingten Empfindlichkeit des Rezeptors an den Haarwurzeln, ob und ab wann die Geheimratsecken nicht mehr geheim zu halten sind.

Was wir Männer im Zuge der zunehmenden Verglatzung erleiden, können Frauen nicht nachvollziehen. Dabei verdanken wir es den Frauen. Denn die Anlage für Haarausfall wird nicht über den Vater vererbt, sondern ausgerechnet über die Mutter. Wie männlich die Söhne noch mit 30 aussehen, kommt im genetischen Gesamtpaket von Mutti. Statt in den Spiegel zu schauen, wirft man also besser mal einen Blick ins Familienalbum: Wie behaart war unser Großvater mütterlicherseits in reiferen Jahren noch am Familienober-Haupt?

Aus Verlustangst ernähren wir unsere Haarwurzeln besser als den Rest des Körpers. Ich hab mir mal die Liste der Zusatzstoffe in meinem Bio-Kräuter-Shampoo durchgelesen: nur das Beste und Gesündeste! Seitdem nehme ich es auch immer als Dressing zum Salat. Hat bisher allen gut geschmeckt. Was es alles für Shampoos gibt! Extra für Männer: Bier-Shampoo für mehr Volumen. Ob man dadurch die Haare doppelt sieht?

Haare sind nichts weiter als abgestorbene Proteine, totes Keratin, aber wir sehen darin den Spiegel unserer Seele. Wir wollen, dass sie wie unsere Augen glänzen, und schicken sie zur Kur. Wir waschen uns selbst ordentlich den Kopf, auf dass alle schmutzigen Gedanken gleich mit herausgespült werden mögen. Kopfwäsche ist Seelenwäsche, Shampoo ist Psychotherapie in Flaschen, für gestresstes Haar, strapaziertes Haar, gespaltenes Haar. Vielleicht hilft das auch gespaltenen Persönlichkeiten? Und wie strapaziert mein Haar sein muss – ich hab erst letzte Nacht wieder stundenlang darauf gelegen! Haare sind so was von emotional!

Haare zu verlieren tut weh. Als wär's ein Stück von dir. Sich von Haaren zu trennen ist noch schmerzhafter als von einer Frau. Irgendwann sagt das Haar: «Ich gehe.» Und wie es da so im Waschbecken liegt, hat es etwas Vorwurfsvolles: «Versuch nicht, mich daran zu hindern. Du kannst mich nicht festhalten. Was du mir alles auf den Kopf geschmiert hast, das geht auf keine Kopfhaut. Ich spüre keine gemein same Wurzel mehr.» Und du weißt: Diese Stelle wird für immer kahl bleiben. Siehe Armstrong. Ein kleiner Schritt fürs Haar. Ein großer Schritt für die Männlichkeit – ein großer Schritt zurück.

Der einzige Trost, den wir Männer angesichts des Haarausfalls haben: Die Summe der Haare an unserem Körper bleibt das gesamte Leben gleich. Alles, was an der dafür vorgesehenen Stelle verloren geht, kommt an anderen Stellen wieder zum Vorschein. Zum Teil an dafür eher ungeeigneten Orten. Da sind die Augenbrauen (Fachleute sprechen hier von progressiver Verwaigelung) noch das Harmloseste. Auf dem Rücken zum Beispiel ist es schlimm. Noch schlimmer – auf der Schulter. Schlimmer als eigene Haare auf der Schulter ist nur noch, wenn das Haar auf deiner Schulter nicht dein eigenes ist. Womöglich auch noch eins in der falschen Farbe. Um einen Verdacht an den Haaren herbeizuziehen, reicht ein einziges!

Himmel und Hölle liegen um Haaresbreite auseinander. Das Pech kommt in Strähnchen. Eine haarige Angelegenheit: die Liebe. Am Anfang würdest du alles geben für jemanden, der eine Locke von «ihrem» Kopf entfernt. Und am Ende würdest du alles dafür geben, wenn doch endlich jemand alle ihre Locken entfernen würde – aus dem Abflusssieb in deiner Dusche.

Schadenfreude – Mit einem Stromstoß zur Geselligkeit

Die verhasste Kollegin geht zum Friseur und kommt verunstaltet wieder, der Chef verbrüht sich an der Kaffeemaschine, weil er sie schon lange nicht mehr selbst bedient hat, der Porschefahrer würgt den Motor an der grünen Ampel ab – kleine Momente der Genugtuung, für die wir uns immer auch ein bisschen schämen. Sind wir wirklich so fies?

Der Volksmund behauptet schon seit langem, Schadenfreude sei die schönste Freude. Aber wissenschaftlich erforscht wird dieses verschämte Gefühl erst seit kurzem, denn Schadenfreude ist sehr schwer zu untersuchen – keiner ist darauf stolz. Fragt man Leute direkt danach, bekommt man keine ehrliche Antwort.

Bei den wissenschaftlichen Untersuchungen wurden die Versuchspersonen also in ein Wirtschaftsspiel verwickelt, in dem einer der Wissenschaftler, als Mitspieler getarnt, sich gezielt unfair verhielt. Für die Forschung durfte er mal so richtig das Arschloch raushängen lassen (nicht zu verwechseln mit einem echten Anal-Prolaps, der nicht den anderen, sondern ausschließlich dem Betroffenen wehtut – aber das nur am Rande).

Nach dem Spiel wurde der Fiesling mit harmlosen Stromstößen bestraft. Während die anderen Teilnehmer der Bestrafung zuschauten, wurde ihre Hirnaktivität mit einem funktionellen Kernspin beobachtet. Auf den Röntgenbildern zeigte sich, dass zwei Regionen für Schaden-Freude wichtig sind: wie der Name schon sagt – eine Region für das Mitgefühl mit dem Schaden, die andere Region, das Belohnungszentrum, für die Freude. Das Mitgefühl sitzt hinter der Stirn, der «Kick», ob wir etwas gut finden, im Mittelhirn. Ob wir uns über den Schaden anderer freuen, hängt also davon ab, ob wir mit ihm mitleiden oder ihm das Missgeschick als «süße Rache» gönnen. Ist uns jemand sympathisch, leiden wir mit, dem «Arsch» aber gönnen wir es.

Wobei Frauen selbst mit den fiesen Typen immer noch einen Rest Mitgefühl haben. Männer dagegen freuen sich an der «gerechten» Strafe und kennen in ihren Mitgefühlsregionen keine Gnade. Das erklärt ganz gut, warum in Berufen, wo zu viel Mitgefühl hinderlich sein könnte, eher Männer anzutreffen sind; historisch bei den Richtern und Henkern, heutzutage beispielsweise bei der Feuerwehr und im Rettungsdienst. Die Helfer dürfen nicht von ihren eigenen Gefühlen überwältigt werden, sondern müssen einen «kühlen» Kopf bewahren und handeln.

Sind Männer also schadenfroher als Frauen? In der Studie wurde unfaires Verhalten durch kleine Schmerzreize körperlich gestraft. Darüber empfanden die Männer tatsächlich mehr messbare Schadenfreude als die Frauen. Das mag aber ein Messfehler sein. Frauen sind womöglich genauso schadenfroh, können das aber besser verbergen, denn sie sind komplexer verdrahtet. Die Schadenfreude bei Frauen funktioniert meist etwas mehr um die Ecke. Sie hauen nicht mit der Faust auf den Tisch, sondern arbeiten eher mit der Stichelsäge mit Winkelzug. Statt körperlicher Strafe bevorzugen sie subtilen Liebesentzug, statt eines abreagierenden Stromstoßes wird schleichend Energie entzogen. Das alles ist viel schwerer zu messen als Gefühlsausbrüche bei Männern, die sich lieber einmal richtig prügeln und anschließend zusammen ein Bier trinken gehen. Aber warum gibt es überhaupt so etwas wie Schadenfreude?

In der Evolution macht dieses moralisch scheinbar verwerfliche Gefühl viel Sinn! Menschen sind soziale Wesen und aufeinander angewiesen. Wenn sich jemand unfair verhält, wird er durch die zur Schau gestellte Schadenfreude bestraft und bekommt so einen Anreiz, sich wieder nett und kooperativ zu verhalten.

Schadenfreude ist also im Prinzip so etwas wie die «Gelbe Karte» der Evolution. Hätten Fußballspieler keine Angst vor der Gelben oder Roten Karte – das Spiel wäre außer Rand und Band.

Auch beim Fernsehen funktionieren viele Sendungen nach dem Prinzip «Gut, dass mir das nicht passiert ist». Man vergleicht sich mit

So selbstverständlich, wie Wolfgang
Heidi während der Geburt ihrer Tochter
zur Seite stand, erwartete er ihren
Beistand in der schweren Viertel-
stunde seiner Hämorrhoiden-Verödung.

den Leuten auf der Mattscheibe, und wenn man sieht, was für Missgeschicke anderen passieren, sieht man sein eigenes Leben wieder in neuem Licht. Bei vielen Nachmittags-Talkshows lautet die wichtigste Botschaft: Es gibt Leute, die sind sehr viel schlechter dran als du!

Der Klassiker: ausrutschen auf der Bananenschale. Rutscht eine alte Frau aus, hat man Mitleid, macht dagegen Stefan Raab einen Abgang, darf man sich ruhig ein bisschen freuen, denn schließlich hat er oft genug andere zu Fall gebracht. Schadenfreude ist nicht die schönste, sondern die verlässlichste Freude.

Dennoch: Es gibt einen Unterschied, ob bei «Dick und Doof» jemand ein Brett vor den Kopf bekommt oder bei einer Pannenshow. Bei den Schauspielern ist klar, denen wird nichts Ernstes passiert sein. Bei den Unfällen im Videoclip erfährt der Zuschauer hingegen nie, wie es ausgegangen ist. Bei einigen Clips vermutet man sogar, dass die Panne inszeniert, das Kind erst bei laufender Kamera auf die wacklige Schaukel gesetzt worden ist. In diesem Fall leiden Menschen, die man gar nicht kennt, die sich auch nicht unfair verhalten haben, sondern «unschuldig» waren. Sich darüber zu freuen grenzt schon an Sadismus und hat mit ehrlicher «Schadenfreude» nicht mehr viel zu tun.

Und noch eine Frage zum Schluss: Schwindet die Freude eigentlich automatisch, wenn der Schaden vorbei ist? Nicht zwingend. Manchmal kann man eine kleine Rache auch länger genießen. Ein Bekannter schilderte mir schmunzelnd: «Ich war richtig glücklich, als mein blöder Nachbar endlich im Urlaub war. Da hab ich auf seinem Spießer-Golfrasen eine ganze Tüte Wildrasen ausgesät!»

Sex und seine Folgen

Sex am Morgen – Drei Rhythmen in zwei Körpern

Männer haben Morgenlatten. Zugegeben, ein Thema, bei dem ich unter die Gürtellinie gehen muss – und das bei Situationen, in denen der Mann selten einen Gürtel anhat. Ein Unternehmensberater fragte mich einmal ganz im Vertrauen, was denn mit seiner Früherektion würde, wenn er über mehrere Zeitzonen flöge. Sosehr ich in der wissenschaftlichen Literatur suchte – dazu gab es mal wieder keine doppelblind-randomisierte, placebokontrollierte Studie. Aber das Gefühl kenn ich gut, dass sich der erektile Teil meines Körpers aus der inneren Uhr ausklinkt und offenbar einem eigenen Zeitgeber folgt. Das kann für die Beziehung zum Körper ganz schön zermürbend werden. Dann will ER abends schon schlafen, wenn ich noch wach bin. Dafür steht ER morgens schon Stunden vor mir auf, liegt hellwach im Bett herum, käme aber nie auf die Idee, schon mal in die Küche zu gehen und Frühstück zu machen. Typisch Mann, was soll ich sagen.

Die nüchterne Wahrheit ist: Die Morgenlatte ist nicht der tiefste Ausdruck pueriler Potenz, sondern schlichtweg ein Zeichen dafür, dass die Blase voll ist. Der gestaute Harn drückt auf den venösen Abfluss des besten Stücks. Aber weil wir Männer unseren Körper so schlecht kennen, interpretieren wir da Wunder was hinein und wollen sogleich nicht Pipi, sondern Liebe machen. Wir denken sogar, dass der Mensch neben uns für die Erektion zuständig ist. Just diejenige Frau, die wir uns gestern noch versucht haben schön zu trinken. Die Morgenlatte ist tatsächlich eine Spätfolge des Schöntrinkens, in diesem Fall geht aber das Ursache-Wirkungs-Diagramm über Niere und Blase und nicht über Auge und Hirn. Wir verwechseln Triebabfuhr und Müllabfuhr, Brunft und Brunzen (für diese herrliche Alliteration setze ich dieses bayerisch-österreichische Wort einmal als bekannt voraus). Die Geschichte der Morgenerektion ist eine Geschichte voller Missverständnisse.

Das Schlimmste, was man dann machen kann, ist, tatsächlich Sex zu haben. Denn das löst ja nicht das Problem der vollen Blase. Sofern der Mann kontinent ist, bleibt der Urin bei ihm, und mit Erektion halten wir uns immer für kontinent, für einen ganzen Kontinent – gefühlt: ganz Schwarzafrika.

Wenn ER sich dann Befriedigung verschafft hat, sendet ER ein fatales Signal an das Hirn: Aufgabe erledigt, Schuldigkeit getan, evolutionäres Ziel erreicht. Ich sag's, wie es ist, und spreche damit den Männern aus der Seele und noch tieferen Teilen ihrer Persönlichkeit: Sex am Morgen ist schön, aber der komplette Motivationskiller für den ganzen Tag. Du kommst im wahrsten Sinne den ganzen Tag nicht mehr hoch. Ein kleiner Proteinverlust vor dem Frühstück, und für alle übergeordneten Ziele kommst du nicht mehr aus dem Quark. Der Körper sagt sich: wozu sich jetzt noch anstrengen, besser wird es nicht.

Und genau dafür hat die Evolution die volle Blase erfunden, damit wir uns doch noch aufraffen und nicht liegen bleiben. Und auf dem Weg zum Bad die Kaffeemaschine anwerfen. Kaffee fördert wiederum die Harnbildung – und ob das jetzt ein Teufelskreis oder ein himmlischer Kreislauf ist, das dürfen Sie morgen früh selbst entscheiden. Sofern man Sie in die Entscheidung überhaupt mit einbezieht ...

Cellulitis – Die Dramen der Damen

Sigmund Freud wurde einmal gefragt: Was will das Weib? Der Alt-meister überlegte eine Weile und sprach dann die weisen Worte: «Ich weiß es nicht!» Obwohl ich ein Studium der Medizin und des Wissen-schaftsjournalismus abgeschlossen habe, bin ich der Beantwortung der genannten Frage nur bruchstückweise nähergekommen. Aus mei-ner professionellen und menschlichen Verwirrung habe ich schließlich einen neuen Beruf gemacht: medizinischer Kabarettist. Was ich dabei an kleinen Hinweisen und Fundstücken gesammelt habe, möchte ich nicht nur auf der Bühne und im Fernsehen erzählen, sondern auch hier der ratlosen Männerwelt nicht weiter vorenthalten. Ein Schnell-kurs «Frauenleiden verstehen» in sieben Lektionen, von Kopf bis Fuß.

1. Warme Füße
Spinnenmännchen werden bekanntlich, nachdem sie ihren Teil für die nächste Generation in der sexuellen Vereinigung geleistet haben, von der Spinnenfrau aufgegessen. Die Natur verschwendet ja ungern Ener-gie. Die Spinnenfrau sagt sich: Bevor der Typ hier die ganze Zeit auf meinem Netz rumhängt und nur fressen will, fress ich ihn doch lieber selbst – dann haben auch die Kinder mehr von ihm. Die Ausgangslage beim Menschen ist nicht grundsätzlich anders: Nach dem Sex wis-sen Frauen oft nicht mehr viel mit dem Mann anzufangen. Bisweilen auch schon vor dem Sex. Und im schlimmsten Fall auch währenddes-sen. Warum aber werden wir Menschenmänner nicht gefressen? Weil Frauen kalte Füße haben! Es ist eine der vornehmsten Aufgaben des Mannes, einer Frau die Füße zu wärmen und sie damit glücklich zu machen. Und wir sollten es mit Freude tun – es ist unsere einzige län-gerfristige Daseinsberechtigung im Bett!

2. Am Oberschenkel abnehmen

Cellulitis heißt wörtlich Zellentzündung. Eigentlich ist sie gar keine Krankheit, aber wenn man sie zu einem behandelbaren Leiden erklärt, kann man leichter die Wundermittel des Cellulitis-Zirkus verkaufen. Unter uns: Gegen die erbliche Anlage zur Dellenbildung kommt keine Creme an. Wie bei den Orangen selbst hilft auch bei Orangenhaut nur: schälen oder auspressen. Weil beides am Oberschenkel nicht geht, blühen der Unsinn und die Kosmetikindustrie.

Dabei meint es die Natur eigentlich nur gut mit den Betroffenen und gibt ihnen für härtere Zeiten eine Extraportion Unterhautfettgewebe mit auf den Weg. Da die härteren Zeiten aber auf der Nordhalbkugel nicht mehr kommen, wird aus der Überlebenssicherung eine «Problemzone».

Was keiner im Fitnessstudio gerne zugibt: Nur weil man die Beine bewegt, nimmt man nicht auch an den Beinen zuerst ab. Der Körper gibt seine Fettreserven in einer festen Reihenfolge her, und die steht seit 100 000 Jahren fest und ist keinem modischen Firlefanz zugänglich. Im Klartext: Bei Diäten wird eher der Busen eingeschmolzen als die «Reiterhose». Warum? Brüste sind für den Körper nicht überlebensnotwendig, sondern eher so eine Art Öffentlichkeitsarbeit und Marketingmaßnahme. Und das kennt man aus jeder Firma: Wo wird in Krisenzeiten zuerst gespart? Genau: am Marketing. Das geht Frauen genauso.

3. Die Eizelle und der Eierlikör

Die Tatsache, dass Männer und Frauen beim Flirten so unterschiedlich ticken, hat eine biologische Wurzel: Es gibt pro Körper im Monat genau eine Eizelle, aber viele Millionen Samenzellen. Kein Wunder, dass Männer im Umgang mit ihren Keimanlagen automatisch großzügiger, um nicht zu sagen verschwenderischer, sind. Während die Frau also alles daransetzt, die beste Wahl zu treffen, verteilen Männer ihre Gene nach dem Motto «Wer will, wer will, wer hat noch nicht?». Dieses Grundmuster bleibt selbst unter Alkoholeinfluss konstant!

Männer können sich bekanntlich Frauen «schön saufen»: Mit jedem Promille mehr fällt die Beurteilung der Attraktivität von Damen positiver aus. Wird ein bestimmter Promillegehalt überschritten, ist sogar gar kein weibliches Gegenüber mehr notwendig, da werden auch ein Tisch, ein Stuhl oder ein Teppich zu einem attraktiven Partner.

Nochmal ganz deutlich an die Männer: Unsere Attraktivität lässt sich durch den eigenen Alkoholpegel nicht steigern, eher im Gegenteil. Denn die armen Frauen bleiben auch im Rausch in ihrem Urteil treffsicher. Allerdings steigt ihre Libido mit Likör: Averna vermindert die Aversionen, Resultat: Die Widerstandskraft der Damen sinkt. Sie sind sich zwar immer noch darüber im Klaren, dass der Typ nicht zu den besonderen Exemplaren der menschlichen Gattung gehört, aber es wird ihnen mit jeder Stunde nach Mitternacht zunehmend gleichgültiger. Und so kommt es in einer Mischung aus Drüber-hinweg-Sehen und Unter-Wert-Verschenken doch noch zur Paarung – sofern die Männer das gewisse Maß nicht überschritten haben, was ihre Männlichkeit wiederum schrumpfen ließe.

Gnädigerweise hilft Alkohol Männern und Frauen gleichermaßen, über die im vollsten Zustand des Bewusstseins getroffenen Fehlentscheidungen den Schleier des Vergessens zu breiten.

Praktischer Tipp: Es muss gar nicht immer Alkohol sein. Forscher fanden heraus, dass nichtalkoholische Getränke einen Placebo-Effekt haben können. Menschen, die einen alkoholfreien Cocktail in der Annahme tranken, er enthielte Alkohol, verhielten sich danach, als wären sie beschwipst. Sie schnitten in Gedächtnistests schlechter ab und flirteten enthemmter. Viel gesünder, als sich richtig zu betrinken, ist, einfach so zu tun, als ob. Hauptsache, man fällt selbst drauf rein!

4. Busen anders
Wer kennt eine Frau, die mit ihrem Busen zufrieden ist? Ich wette, sogar Frauen, die für Männermagazine ausgewählt werden, finden daheim vor dem Spiegel noch etwas zu meckern, d. h., Frauen mit perfekten Proportionen sind nicht überproportional glücklich. Größer, kleiner,

straffer, spitzer, runder – Frauen sind mit sich und ihrem Körper viel kritischer als Männer. Das mag auch an unserer Sprache liegen: Was gibt es Schöneres als eine weibliche Brust? Zwei. Okay. Aber welchen Namen gibt das Deutsche dem Gipfel der Ästhetik? Warze. Wir sagen «Brustwarze», eines der hässlichsten Wörter überhaupt. Es klingt nach nichts, das man sich wünschen, nach nichts, das man gerne anfassen würde, ja, es klingt fast so, als ob man sich vor einer Ansteckung schützen müsste. Während «Besprechen» bei Warzen an den Händen tatsächlich helfen kann, sind Brustwarzen im wahrsten Sinne beratungsresistent. Sie werden durch Zusprechen nicht kleiner – im Gegenteil.

Wie anders das Englische: nipple! Das klingt leicht, fröhlich, lädt zum Gernhaben ein. Denn schließlich wissen wir alle, was eine Brust mit einer Märklin-Eisenbahn gemeinsam hat: Eigentlich sind sie für die Kinder gedacht, aber am liebsten spielen die Väter damit.

5. Reden mit wachem Gegenüber

Frauen haben ein untrügliches Gespür dafür, den Moment bei einem Mann abzupassen, an dem er kurz vor dem Einschlafen steht. Sie warten bis zu genau diesem Augenblick, um mit einem wichtigen Beziehungsgespräch anzufangen. Und Frauen können sich dann drei Stunden später aufrichtig darüber wundern, dass bei diesem Gespräch nichts wirklich herausgekommen ist.

Die größte persönliche Beleidigung für eine Frau scheint ja zu sein, wenn der Mann direkt nach dem Sex einschläft. Aber auch hier bietet die Evolution eine tröstliche Erklärung: In den Zeiten, in denen unser Verhalten geprägt worden ist, war das Leben ständig in Gefahr, das Überleben der Art höchstes Ziel. Eine potenziell schwangere Frau ist aus Sicht der Evolution ein viel höheres Gut als ein postkoital abgeschlaffter Mann. Also schickt sie den schlafen. Kommt der Säbelzahntiger, ist die Frau wach, haut ab, rettet sich und die nächste Generation. Der Mann schläft und wird gefressen. Nach dem Sex einzuschlafen ist also überhaupt nicht egoistisch, im Gegenteil. Es ist ein Zeichen unserer Hingabe und Opferbereitschaft für die höhere Sache!

6. Keine Kopfschmerzen

Das Hirn ist das einzige Organ, an dem wir keine Schmerzen empfinden. Medizinisch korrekt, aber versuchen Sie das ja nicht als Argument durchzudrücken! Was beim Kopfschmerz wehtut, sind nämlich die Blutgefäße. Und die können erweitert, verengt oder sonst wie unpässlich sein. Über 300 verschiedene Arten Kopfschmerzen sind den Neurologen bekannt, und da sind die durch den Mann ausgelösten noch nicht einmal miteingerechnet. Was tun? Sagt die Frau: «Ich habe Kopfschmerzen», ist die dümmste Antwort: «Das bildest du dir doch nur ein!» Der kluge Mann zeigt Verständnis und überrascht mit medizinischer Kompetenz: «Wie fühlt es sich genau an? Ist es mehr ein Druckschmerz, so, als ob sich ein Band um den ganzen Kopf legt und ihn zusammenschnürt? Oder ist es eher ein Pochen und Stechen? Tut es auf einer Seite mehr weh?» Der kluge Mann hat den ganzen Anamnesebogen auswendig gelernt, der die Differenzialdiagnose zwischen Spannungskopfschmerz und Migräne ermöglicht. Er hat die entsprechenden Medikamente von ASS, Paracetamol bis zu den modernen Triptanen griffbereit auf dem Nachttisch liegen, neben einem Glas Wasser selbstverständlich. Denn der kluge Mann weiß: Kopfschmerz muss keine Ausrede für sexuelle Unlust sein, sondern kann tatsächlich nerven. Und mit Verständnis, qualifizierter Hilfe und Geduld ist die Chance deutlich höher, dass die anderen Dinge, die ebenfalls auf dem Nachttisch liegen, noch zum Einsatz kommen.

7. Orgasmus

Orgasmus müsste man eigentlich mit «H» schreiben, denn die größte erogene Zone der Frau liegt nicht zwischen ihren Schenkeln, sondern zwischen ihren Ohren. Die Geschichte des weiblichen Orgasmus ist eine Geschichte voller Missverständnisse: Ein ärztlicher Freund hat mich immer gewarnt: «Mein Sohn, wenn du an ein Mädchen kommst, dessen Augen glänzen, dessen Lippen feucht sind und das am ganzen Körper zittert, dann lass die Finger davon, es hat Fieber!»

Sagt eine Frau: «Ich komme gleich», hat das ungefähr die gleiche

Verbindlichkeit wie die Ansage in der Telefonwarteschleife: «Der nächste freie Platz ist für Sie reserviert, bitte haben Sie noch einen Moment Geduld, wir bemühen uns weiter, bitte legen Sie nicht auf, wir bemühen uns weiter, der nächste ...»

Es gibt zwei tragische Phasen im Leben einer Frau: bevor der Mann ihre Klitoris gefunden hat – und danach. Denn die Stimulation braucht immer mehrere Ebenen. Ich werde nie vergessen, wie mich eine Frau schwer erregt aufforderte: «Sag mir etwas, was noch nie ein Mann einer Frau ins Ohr geflüstert hat!» Ich überlegte eine Weile und hauchte ihr ins Ohr: «Laserdrucker!»

Während der Nacht hatte ich lange Zeit, darüber nachzudenken, warum das wohl die falsche Antwort gewesen sein muss.

Was will das Weib? Ich hab Ihnen gesagt, was ich weiß. Jetzt sind Sie dran.

Namen – Initiale Fehlentscheidungen

Man kann sich seine Eltern nicht vorsichtig genug aussuchen. Denn mitunter sind die wiederum alles andere als vorsichtig, wenn sie die Namen aussuchen, mit denen sie uns durchs Leben schicken. Selten wird da auf Wohlklang geachtet. Im Gegenteil, ich habe den Verdacht, dass Eltern, die selbst unter einem bescheuerten Namen gelitten haben, das Trauma über Generationen weitergeben. Warum sonst nenne ich, wenn ich mit Familiennamen Schweiß heiße, mein Kind Axel?

Ein Blick ins Telefonbuch zeigt: Das Leben ist brutaler als jede Komikerphantasie. Aus meiner Zeit als Arzt auf einer Neugeborenenstation bin ich noch an meine Schweigepflicht gebunden, doch so viel will ich verraten: Drillinge – tatsächlich getauft auf Tick, Trick und Track. Und das war erst der Vorname!

Sozialpsychologen bestätigen, dass der Name das Selbstbild und das Fremdbild so sehr prägen kann, dass man sich unbewusst entsprechend verhält und verändert. So halten viele eine «Manuela» automatisch für dümmer und hässlicher als eine «Julia». «Hubertus» wird in der Schule anders benotet als «Kevin». Und welche Chance hat wohl jemand mit einem Nachnamen, der mit Z beginnt! Der kommt immer als Letzter dran, liegt immer ganz unten im Stapel. Der Erfolg war Adenauer, Brandt und Cäsar somit in die Wiege gelegt. Frau Zypries dagegen kämpft nicht grundlos für mehr Gerechtigkeit. Eine Diskriminierung, über die sich niemand aufregt: Alphabetismus! Da ist wirklich was dran. Es gibt deutlich mehr Entscheidungsträger von A–K als von L–Z. Da können Sie den Archivleiter der Konrad-Adenauer-Stiftung fragen: Günther Buchstab.

Mit jedem Namen ist außerdem eine Altersvorstellung verbunden. Ich spreche da aus eigener Erfahrung. Wenn ich mich mit «Eckart von Hirschhausen» vorstelle, höre ich oft: «Ich habe Sie mir viel älter vorgestellt!» Das ist der Vorteil von Namen, die zuletzt zu Zeiten des christlichen Mystikers Meister Eckart populär waren: Schwups, sieht man 750 Jahre jünger aus! Das wäre doch eine geniale Geschäftsidee: statt sich liften zu lassen, einfach den Namen zu wechseln. «Du, ich heiße jetzt nicht mehr Wilhelmine, sondern Sabine – aber ich fühl mich voll wie eine Vanessa.»

Der Name ist nicht Schall und Rauch, sondern eine echte Lebensentscheidung. Amerikanische Statistiker meinen nach der Auswertung von Tausenden Lebensläufen belegen zu können: Jemand mit «negativen» Initialen wie «D. I. E.» stirbt früher. Eine lebensbejahende Abkürzung wie «V. I. P.» hingegen verlängert das Leben.

Die Wissenschaftler fanden außerdem heraus: Menschen ziehen eher in eine Stadt, die ihrem Namen ähnelt: ein Jack nach Jacksonville, Phillip nach Philadelphia, Virginias an den gleichnamigen Beach. Sogar der Job scheint sich magisch anzupassen: Bei Dentisten kommt Dennis ungewöhnlich häufig vor, bei Geographen Georg. Für Deutschland gibt es keine entsprechende Auswertung, aber allein aus meiner persönlichen Erfahrung heraus postuliere ich auch hierzulande einen fast masochistischen Eifer, Namen und Beruf zu kombinieren: Warum wird ein Herr Leistenschneider Urologe? Und Herr Horny Frauenarzt? Hätte Matthias von Aufschnaiter keinen anderen Beruf wählen können als ausgerechnet Unternehmensberater?

Als mein Adressverwaltungsprogramm bei der Suche nach weiteren eigenartigen Eigennamen abstürzte, bekam ich aus Holland eine Mail vom Support-Zentrum für diese Software, ungelogen, von Michael van de Panne.

Namen verfolgen uns über den Tod hinaus. Ich habe vor einiger Zeit eine Todesanzeige aus der Zeitung ausgeschnitten, von Emma Fick. 80 Jahre lang hat sie wahrscheinlich tapfer alle Varianten von schlechten Scherzen ertragen. Was machen ihre Angehörigen? Sie suchen sich unter 80000 Bibelsprüchen folgenden aus: «So spricht der Herr. Ich habe dich bei deinem Namen gerufen. Du bist mein.»

Nachts

Matratzenkauf – Wie man sich bettet, so tönt es heraus

Erwache heute wieder mit Rückenschmerzen. Wenn man über 50 ist und ohne Schmerzen aufwacht, ist man tot. Mein Problem: Ich bin noch keine 50. Es muss also an der Matratze liegen. Ich habe heute Nachmittag eine Stunde Zeit und werde mir eine neue besorgen, aber was Gutes. Erst mal Marktübersicht gewinnen. Im Internet gibt es auch Matratzen. Aber online kannst du so schlecht Probe liegen. Scherzeshalber schaue ich auch bei eBay nach/vorbei – nur zur Orientierung. Es gibt Dinge im Leben, die man besser nicht gebraucht kaufen sollte. Deshalb gibt es auch Jahreswagen, aber keine Jahresmatratzen. Kaum etwas ist persönlicher als eine Matratze. Was lese ich sonst noch: Alle zehn Jahre soll man sie auswechseln. Stiftung Warentest warnt vor der schlechten Beratungsqualität im Matratzeneinzelhandel. Mehr gibt das Internet nicht her. Aber ich kenne eine Ecke von Berlin, wo sich die Matratzen-Discounter häufen. In der Nähe des Rotlichtviertels. Gibt es da einen Zusammenhang? Mengenrabatt? Ikea ist mir zu weit. Und ich bin jetzt auch in einem Alter, wo man zu schätzen weiß, wenn in einer neuen Matratze bereits alle Federkerne montiert sind.

Im ersten Schaufenster ein Sonderangebot: die Stress-Fresser-Matratze. Runterreduziert, wie man so schön sagt. Auf die Hälfte. Ein echtes Schnäppchen. Ich geh erst gar nicht rein. «Was nix kostet, is auch nix.» Und ich will auch auf nichts schlafen, was mich irgendwie nachts fressen will. An meinem Stress lass ich keine Matratze einfach so knabbern. Wer weiß, was das Stress-Fressen für Geräusche verursacht. Es reicht, wenn meine Kiefer nachts knirschen.

Im zweiten Laden werde ich gleich überhäuft von Fragen: Schaumstoff, Federkern, Taschenfederkern oder Latex? Woran haben Sie denn gedacht? Weiß der Geier. Ich kenne Leute, die auf Latex stehen, aber liegen? Am liebsten möchte ich zurückfragen: Was ist denn das Beste?

Herr M. ist Profi. Er weiß, dass ich nichts weiß. Und erklärt. Gute Matratzenverkäufer erkennt man daran, dass man nachher immer auch noch einen neuen Lattenrost braucht. Herr M. weiß nach zwanzig Minuten schon mehr über meine Phantasien einer idealen Nacht als viele meiner besten Freunde. Es sind allerdings eher ernüchternd unerotische Phantasien: ruhig daliegen, auch wenn jemand anderes sich mal daneben bewegt oder benimmt. Dann, schlussfolgert Herr M., brauche ich auf alle Fälle Latex und eine geteilte Matratze. Denn geteilte Ruhe ist bekanntlich halbe Ruhe. Zwei Matratzen heißt auch immer Besucherritze – die hatten meine Eltern schon. Inzwischen gibt es ein spezielles Besucherritzen-Überbrückungs-T-Stück. Gab es wirklich keine anderen Innovationen in einem so zentralen Bereich des Lebens?

Vielleicht auch nur nicht in diesem Laden. Ich will gehen, hab aber ein schlechtes Gewissen, weil ich vierzig Minuten lang Phrasen aus dem armen Kerl herausgesogen habe, ohne einer Entscheidung irgendwie näherzukommen. Im Gehen überlege ich, ob ich als Gegenleistung dem überraschend nervenstarken Verkäufer wenigstens einen Witz anbieten könnte. Aber ich kenne praktisch keine Matratzenwitze. Nur den: Kommt eine Schauspielerin mit einer Matratze auf dem Rücken zum Casting und sagt: Ich hab schon gleich die Bewerbungsunterlagen mitgebracht.

Ich verkneif mir den Witz. Stattdessen sag ich Herrn M., dass ich über die Entscheidung nochmal schlafen muss. Ich sag nicht, worauf.

Drei weitere Fachgeschäfte später kenne ich die Innovationen der letzten Jahre: die 7-Zonen-Matratze. So viele Zonen hatte nicht mal das besetzte Deutschland! Alle paar Zentimeter völlig andere Schaumstoffeigenschaften. Wer tagsüber viel schultern muss, braucht laut Prospekt eine «softige Schulterzone». Man stelle sich nur vor, man legt sich irrtümlicherweise ein paar Zentimeter weiter oben auf die Matratze, und die Softigkeit überträgt sich auf den Lendenbereich.

Andere Matratzen sind derartig atmungsaktiv, dass ich mir wirklich Sorgen mache, ob die nicht irgendwann Asthma bekommen können. Gerade durch den engen Kontakt mit den Milben. Das wäre doch blöd, wenn du mitten in der Nacht durch das Röcheln deiner eigenen atmungsaktiven Matratze aufwachst.

Mir werden auch Luxusmodelle mit Massagefunktionen gezeigt, die per Motor die stufenlose Mutation des Bettes in einen Sessel vollbringen können: «Wohliges Strecken und Dehnen entlastet die Wirbelsäule.» So eine Art Yoga mit Fernbedienung – und aufzustehen braucht man auch nicht dabei.

Wenn Matratzen getestet werden, simulieren 60 000 Walzgänge mit 140 Kilo eine Nutzung von 10 Jahren. Ich staune und rechne aus, wie viele erfolgreiche Balzgänge ich brauchte, um nächstens von meinen 90 auf 140 Kilo Matratzenbelastung aufzurüsten. Ich nehme zum Probeliegen eine Freundin mit. Frauen haben bei Kaufentscheidungen das bessere Gefühl, und außerdem gibt sich ein männlicher Verkäufer dann automatisch mehr Mühe. Das Probeliegen stellt unsere Freundschaft auf eine harte Probe, weil ich für eine realistische Einschätzung der Gebrauchsqualität darauf bestehe, Löffelchen zu simulieren. Wir haben völlig unterschiedliche Körpergewichte und Härtegrad-Präferenzen. Sie rollt immer wieder bergab auf mich zu. Ein Mindestmaß an Freiwilligkeit ist aber Grundlage jeder körperlichen Nähe. Außerdem hat sie kein Verständnis dafür, dass ich mich darauf versteife, für unser Probeliegen den Raum abzudunkeln und das Schaufenster zu öffnen.

Letztlich beschließen wir, Freunde zu bleiben, und ich gehe allein weiter auf Matratzensuche.

Warum gibt es eigentlich keine Frauenmatratze mit beheizbarem Fußteil? Ich lese mich in die Prospekte ein: eine ganz eigene Wissenschaft, mit eigenem Vokabular. Mein neues Lieblingswort: der FWB – der Federwegbegrenzer. Der Federweg ist sozusagen die Knautschzone zwischen Rahmen und Lattenrost. Bei den extravaganten Ausführungen sind die wie kleine Flügelchen individuell verschiebbar. Nach einem schweren Abendessen beispielsweise lässt sich dann mittels eines FWB die Härte im Bereich der 8. und 9. Querverstrebung nachregeln. Eigentlich ist der FWB ein relativ popeliges Stückchen roten Plastiks, das wie ein Keil den blauen Lattenrost-Federn zwischen die Rippen geschoben werden kann. So was gab es auch mal für die Federung am Laufschuh, hat sich dort aber nicht durchgesetzt. Die Restbestände wurden offenbar von Matratzenentwicklern aufgekauft. Mir kommt es sowieso so vor, dass der Kauf eines Lattenrosts der Komplexität eines Turnschuherwerbs nur noch wenige Jahre hinterherhinkt.

Den nächsten Vormittag nehme ich mir ganz frei, um gleich ins Topsegment vorzudringen. Faustregel: Je mehr anatomische Zeichnungen von Wirbelsäulen in einem Laden hängen, desto höherstellig der Preis der Produkte. Frau K. trägt ein Namensschild. Ein weiteres Indiz für das Premiumsegment. Die Schriftgröße deutet auf Erfahrungen mit einer Klientel, die gelegentlichen Ausflügen in den Rehabilitationsbereich nicht abgeneigt ist.

Was es hier nicht alles gibt: ein Schweizer Modell, das sage und schreibe Raumfahrttechnik enthält. Erst halte ich das für völlig absurd, aber auch Neil Armstrong dürfte bald bettlägerig werden und sich darüber freuen, wenn nicht nur Teflonpfannen, sondern auch Schaumstoffmatratzen die Milliarden für seine paar Schritte in der Schwerelosigkeit im Nachhinein legitimierten.

Ich lege mich auf die Hightech-Oberfläche und sinke ein. Ich fühle mich den Sternen ferner denn je. Stattdessen spüre ich, wie plötzlich die gesamte Erdanziehungskraft auf meinen Körper einwirkt. Meine Problemzonen sinken tiefer und tiefer in die amorphe Masse. Angeblich bekommt man so selbst beim Dauerliegen keine Druckstellen. Und die Gefahr besteht. Nicht, weil es so bequem wäre, im Gegenteil. Die Unterlage gibt so lange nach, bis sie dich einbetoniert. So wie im Sand oder in einem dieser zu Recht aus der Mode gekommenen Sitzsäcke meiner frühen Jugend. Die galten unter Spätpubertierenden dereinst als «lässig» – bis zu dem Moment, in dem man wieder aufstehen musste. Der Versuch, aus einem Bohnensack wieder in die stolze aufrechte Grundhaltung des Homo sapiens zu gelangen, lässt dich augenblicklich um gefühlte vierzig Jahre altern.

Der Mensch bewegt sich im Schlaf fünfzigmal. Das ist bei einigen ein Vielfaches der Bewegungsleistung eines gesamten Tages! In dieser Matratze bewegst du dich nicht, ich befürchte sogar, spontan mit dem Atmen aufzuhören. Frau K. lächelt mitleidig, hilft mir aus der Weltraumstationskuhle und aus meinen Albträumen. «Hat sich nicht durchgesetzt», erklärt sie mir unnötigerweise.

Beim Matratzenkauf gelten offensichtlich andere Beratungsrichtlinien als in jedem anderen verkaufenden Gewerbe. «Immer wieder gerne genommen» ist tabu. Es gibt nichts Intimeres, Individuelleres als den Schlaf. Und da will man nichts, was auch andere schon haben. Ich will MEINE Höhle, meinen Rückzugsort, meine Federung. Mensch und Matratze bilden eine symbiotische Einheit, jedes Lebensjahrzehnt ist geprägt von der Unterlage, von der du dich allmorgendlich erhebst. Von der Wiege bis zur Dekubitus-Unterlage.

Auf der nächsten Hightech-Matratze liege ich Probe und nicke kurz ein. Im Halbschlaf ziehen vor meinem geistigen Auge prägende Polsterungen der immer zu kurzen Nächte vorbei.

In meiner stark ökologisch geprägten Sturm-und-Drang-Phase leistete ich mir von meinem spärlichen Studentenbudget eine sündhaft teure Kokoskernmatratze – mit Rosshaarauflage auf der Winterseite. Mehr unmittelbares Naturerleben, Rausch der Tropen plus Black-Beauty-Romantik kannst du nicht in zehn Zentimeter Schlafunterlage pressen. Leider begann die Matratze bald ganz real, die Atmosphäre eines tropischen Regenwaldes zu verströmen. Wahrscheinlich hatten die allgegenwärtigen Milben in der Beckenmulde eine Art Club Robinson aufgemacht.

Und immer, wenn ich mal im Urlaub war, hatte ich Angst, dass irgendwie Wasser in die Wohnung dringt, die Matratze ausschlägt und ich nie wieder in die Wohnung darf, weil sich um die Matratze herum eine schützenswerte Flora und Fauna gebildet haben.

Danach hatte ich einen Futon. Reimt sich auf Beton. Zufall? Damit lagst du in der Gunst der emanzipierten Frauen weit vorne, allerdings nur, solange sie noch nicht bei dir übernachtet hatten. Wer diese Phase in seinem Leben ausgelassen hat, lege sich probehalber eine Nacht lang auf ein Bügelbrett. Ohne Bezug. So kuschelig ist Futon. Das Gesündeste am Futon ist, dass man ihn jeden Morgen aufrollen muss. So sorgt er über die Nacht hinaus für Bewegung. Wenn du schon gerädert aufwachst, kannst du das gleich mit kostenloser Krankengymnastik wieder ausgleichen. Das nenne ich ganzheitlich!

Futons sind wie Zen-Buddhismus ein Muss für alle, die nach Höherem streben. Buddha heißt nicht umsonst «der Erwachte». Wie viel Spiritualität wäre der Menschheit verloren gegangen, hätte es schon vor 2000 Jahren bequeme Matratzen gegeben?

Auch heute noch werden in speziellen Läden neue Modelle von Hanfmatratzen angeboten. Die Käufer sind allerdings Auslaufmodelle. Das sehen die aber ganz entspannt. Dauert ja auch eine Weile, bis man so eine Matratze aufgeraucht hat.

Und Wasserbetten? Näher kann man doch der Sehnsucht nach dem Mutterleib nicht kommen. Warmes Fruchtwasser, leise gluckernd bei jeder Bewegung. Theoretisch sehr angenehm. Das Dumme ist nur: Du wachst jeden Morgen auf wie gebadet. Die Plastikschicht des Wasserbetts ist dicht, ganz im Gegensatz zum Menschen. Normalerweise verdunstet dessen halber Liter Schweiß pro Nacht bis zum nächsten Morgen unbemerkt – es sei denn, du liegst in einer hermetischen Wasserbettkuhle. Uncool.

Ein Freund hat mir mal vorgeschwärmt, beim Sex auf einem Wasserbett würde es reichen, einmal die Bewegung anzustoßen, das Bett sorge dann automatisch für jede weitere Welle. Ich fand die Vorstellung nicht erotisch, in den eigenen vier Wänden seekrank zu werden. Wasserbett scheidet aus.

«Man baut ein Bett von unten auf», spricht es aus Frau K., und ich werde damit aus meinen Jugendträumen gerissen. Hat das nicht auch Konfuzius gesagt? Die großen Wahrheiten sind doch immer wieder verblüffend einfach. Kurz stelle ich mir vor, wie ich meinen Lattenrost an vier Stahlseilen an der Decke befestige, nur um in diesem Verkaufsgespräch einmal widersprechen zu können. «Bei mir nicht, ich baue mein Bett immer von oben auf!»

Worauf man alles achten muss, gerade auf das Unsichtbare! Frau K. lehnt Federkerne kategorisch ab. Wegen des Metalls. Metallspiralen ziehen elektromagnetische Wellen an, Erdstrahlen, Ausdünstungen der Wasseradern. Ich weiß dummerweise gerade nicht, ob bei mir eine Wasserader unter der Wohnung langzieht. Ich weiß nur, dass mein Bett nachts immer ein bisschen wackelt. Die Vibrationen kommen von der U-Bahn, die direkt unter meinem Haus entlangrattert. Aber Frau K. hat nie etwas darüber gehört, wie U-Bahn-Strahlung auf Federkerne wirkt.

Mit letzter Kraft schaffe ich es noch auf ein anderes Modell. Egal, wie teuer, ich werde nur noch nach dem Gefühl beim Probeliegen entscheiden. Dafür sollte man sich Zeit nehmen. Ich hab Frau K. für die Mittagspause etwas Gebäck mitgebracht. Dafür verspricht sie mir, mich nicht vorzeitig zu wecken. Ein Matratzenkauf ist ja schließlich keine Entscheidung, die man leichtfertig treffen sollte. Eine Matratze hält schließlich zehn Jahre, wie ich gelernt habe, deutlich länger als eine durchschnittliche Ehe. Und da besteht auch jeder drauf, länger als drei Minuten Probe zu liegen.

Einzelne Schaumstoffstifte im 7-Zonen-Latex schmiegen sich punktelastisch verständnisvoll an meinen gepeinigten Körper, ein anatomisch-physiologisches Kissen in Form eines Plenarsaals bettet den Kopf, Frau K. summt mir leise «Der Mond ist aufgegangen» vor. Selig lächelnd schlafe ich ein.

Es ist 20 Uhr, Ladenschluss. Frau K. hat den Transport organisiert, bringt mich auf der Matratze nach Hause. Sie flüstert mir ins Ohr: «Eine gute Entscheidung. Hören Sie einfach auf Ihren Körper.»

Ich aber liege die ganze Nacht wach und denke darüber nach, ob ich nicht doch die andere ... Ein Drittel seiner Lebenszeit verbringt der Mensch schlafend. Ein anderes Drittel beim Matratzenkauf.

Schnarchen – Mit dem Gaumensegel hart am Wind

Es kann sehr schön sein, von einem anderen Menschen am Schlafen gehindert zu werden. Aber nur, wenn der auch wach ist. Sie wissen, wovon ich rede: Schnarchen. Ein Phänomen, das so peinlich ist, dass selbst die medizinische Forschung lange versuchte, das Gaumensegel zu umschiffen. Wer schläft, sündigt nicht, aber wer vorher sündigt, schläft danach besser. Die eigentliche Sünde ist aber nicht der Sex, sondern das Schnarchen. Dabei ist der Schnarcher im Sinne der griechischen Tragödie unschuldig.

Bei Schnarchern denkt man an Übergewichtige, die, zudem alkoholisiert, mit nächtlichen Laubsägearbeiten die Nachbarschaft terrorisieren – und eh keinen Partner haben, den es stört oder der sie vom Rücken auf die Seite dreht. Aber das Phänomen ist nicht auf Randgruppen beschränkt, sofern man nicht fast die Hälfte aller Männer als Randgruppe definieren möchte. Meistens sind es ja die Frauen, die sich beschweren. Ein Abbild unseres soziologisch-demographischen Wandels. Schnarchen variiert mit Geschlecht und Alter. Frauen schnarchen auch, und zwar ebenso erbärmlich und schonungslos wie Männer – nur tun sie das so richtig erst nach der Menopause.

Der gleichaltrigen Männer haben sie sich dann aber schon entledigt, oder diese sind mittlerweile schwerhörig oder längst tot – und deshalb beschwert sich keiner. Frauen schnarchen auch. Punkt. Nur: wo kein Kläger, da kein Richter. Und um die aufgeheizten Diskussionen auf eine medizinisch versöhnliche Basis zu stellen: Männer im Tiefschlaf sind schuldunfähig! Wann schnarchen wir? Wenn das Gaumensegel ganz entspannt in jedem Atemzug flattert. Wann entspannt sich die Muskulatur? In der tiefsten Schlafphase. Die ist gleichzeitig die wichtigste und erholsamste – für den Schläfer, nicht unbedingt für den Zuhörer. Der Bei-Lieger, und eben gerade nicht der Bei-Schläfer,

Deinetwegen hab ich die ganze Nacht kein Auge zugemacht, weil ich jeden Moment damit gerechnet habe, dass du anfängst zu schnarchen!

entwickelt mit vorrückender Stunde immer brutalere Techniken: von noch als liebevoll durchgehenden Versuchen, das ehemalige Objekt der Begierde in die stabile Seitenlage zu wuchten, über Pfeifen, Rufen, Schreien, Schlägen in die Seite bis zu minutenlangem Nasezuhalten. Das Schlimme ist, es wirkt, und die Frau denkt: Siehst du, geht doch, wenn du dir nur mal ein bisschen Mühe gibst!

Liebe Frauen, mit Mühe oder bewusster Entscheidung, die eine persönliche Schuld definieren könnte, hat das leider gar nichts zu tun. Wir Schnarcher werden durch derlei Aktionen aus der Tiefschlafphase gerissen mit einem Gefühl vitaler Bedrohung, das Stammhirn meldet: unbekannte Gefahr, Atemnot, wilde Tiere – wach auf und beschütze deine Familie. Die Muskeln spannen sich an für den Kampf, das Schnarchen versiegt, und Sie, werte Damen, triumphieren. Der gepeinigte Mann erreicht in Panik den Halbschlaf, um mit einem halbgeöffneten Auge zu erfassen: kein Löwe, keine Gefahr, nur die Gefährtin – und ehe sich weitere Gedanken bilden können, sinkt er zurück in den Tiefschlaf. Und er schläft immer schneller ein als sie. Was ist also das Resultat der Weckaktion: Am nächsten Morgen sind beide wie gerädert, das Gegenteil einer Win-win-Situation. Bereits Mark Twain wunderte sich: «Kein Mensch kann erklären, warum der Schnarcher sich selbst nicht schnarchen hört.» Mich wundert das nicht. Für mich bleibt es vielmehr ein Rätsel, warum sich einige Leute beim Hemdenwechseln nicht selbst narkotisieren – bei dem Körpergeruch. Doch das nur am Rande.

Interessanterweise wacht man nicht nur vom eigenen Schnarchen nicht auf, sondern glaubt beim besten Willen nicht, es selbst je getan zu haben. Aber ein Blick ins Gesicht der Bettnachbarin verrät einem, dass sie in dieser Nacht um mehr als acht Stunden gealtert sein muss.

Wenn ich sage «wir» Schnarcher, muss ich gestehen, dass ich mich aus lauter Rücksicht an der Nasenscheidewand habe operieren lassen. Meiner Partnerin zuliebe. Ob es was gebracht hat, kann ich Ihnen leider nicht sagen. Seit zwei Wochen vor der OP besteht meine Freundin auf getrennten Betten. Und getrennten Wohnungen und getrennten Städten – und das aus völlig inoperablen Gründen.

Ausschlafen – Aufgeweckte, legt euch hin!

Warum ist die wache Zeit für uns so viel wichtiger als der Schlaf? Schlaf ist doch toll! Du kannst was träumen, musst aber nicht. Alle Welt schreit: «Wach auf, verwirkliche deine Träume!» Mal ehrlich: Ich liebe es, zu träumen. Jedoch sind oft so absurde Sachen dabei, dass ich heilfroh bin, wenn sich das nicht alles verwirklicht.

Wir Deutschen stehen früher auf als Finnen, Italiener und Spanier. Aber was haben wir davon? Die Finnen sind schlauer, die Italiener die besseren Währungshüter, und die Spanier vergolden sich ihre Siesta, weil wir ständig dorthin fahren – um endlich mal wieder auszuschlafen. Deutsche: Der Aufschwung beginnt im Bett! Unser Idol Einstein schlief zehn Stunden – wie ein Stein. Wer länger liegt, kann besser überlegen. Schlafforscher nennen das die «entmüdende» Funktion des Schlafes. Sinngemäß könnte man auch von der «entblödenden» Funktion der Wissenschaft sprechen. Die Schlafwissenschaft sagt auch: Wir machen einen riesigen Fehler, immer länger wach sein zu wollen.

Unser ständiges Schlafdefizit macht nachweislich dumm, dick, depressiv und infektanfällig. Die Katze schläft 14 Stunden, eine Fliege 12, was gerade bei einer Eintagsfliege für klare Prioritäten spricht.

Warum nur sind Menschen insgeheim stolz, wenn sie mit knapp vier Stunden Schlaf aus der letzten Nacht irgendwie durch den Tag dümpeln? Vielleicht, weil es für uns als Kind eine Strafe war, ins Bett gehen zu müssen. Und nur aus Trotz strafen wir uns heute als Erwachsene selbst, indem wir NICHT ins Bett gehen.

«Schlafen kann ich noch, wenn ich tot bin», sagen viele. Was für ein Quatsch. Der Schlaf ist der eigentliche Urzustand des Menschen. Die Forscher haben immer gerätselt, warum wir schlafen müssen – und bis heute keine gescheite Antwort gefunden. Kein Wunder, Thema verfehlt. Die Kernfrage ist: Wozu müssen wir überhaupt wach werden? Eigentlich dient der Wachzustand nur dazu, Energie zu sammeln, damit wir wieder in Ruhe schlafen können. Je schneller ein Tier Nahrung zusammenbringt, desto länger kann es schlafen. Nur wir Menschen bleiben weit darüber hinaus wach und halten das für schlau! Wir könnten 23,5 Stunden am Tag schlafen, heute, da wir in einer halben Stunde im Supermarkt genug Nahrung sammeln für ein ganzes Wochenende. Es gibt keinen Grund, sich über den Broterwerb hinaus ständig wach zu halten.

Diese Umtriebigkeit bringt Wirtschaft und Natur komplett durcheinander. Was gehört zu den teuersten Rohstoffen? Öl und Kaffee. Kein Wunder: Den Kaffee brauchen wir, um künstlich wach zu bleiben. Das Öl, weil wir es da wach nicht aushalten, wo wir sind, sondern uns immer noch schneller irgendwo anders hinbewegen wollen. Die Bilanz stimmt nicht mehr. Statt wach Energie zu sammeln, verpulvern wir sie, ruinieren uns und den Planeten.

Mensch, bleib, wo du bist, und rühr dich nicht! Wir fahren viele Kilometer mit dem Auto, um einen Big Mac im Drive-in zu essen, und schuldbewusst bestellen wir im kerosinfressenden Flugzeug kalorienreduzierte Diät-Cola. Das rettet die Energiebilanz auch nicht mehr. Selbst die körpereigenen Energie-, sprich Gewichtsprobleme lösen sich am besten im Schlaf. Wie die Bären einfach mal ein paar Wochen durchschlummern, und wenn du dann aus dem Winterschlaf erwachst, ist der Speck von ganz allein weg.

Wer schläft, sündigt NICHT! Langschläfer sind keine Penner, sondern Vorreiter. Wir müssen nicht früher aufstehen, um die Welt zu retten, wir müssen länger liegen bleiben! Augen zu und durch. Schlaf ist die größte Tat, die wir vollbringen können. Davor dürfen wir nicht länger die Augen verschließen! Gute Nacht!

Ansteckendes Interesse – Willst du mit mir gähn?

Gähnen ist ansteckend. Allein das Lesen des Wortes «Gähnen» kann bei Ihnen just in diesem Moment zu unwillkürlicher Mundmotorik führen. Erst recht, wenn Sie in Gesellschaft sind. Kaum hat der Erste in der Runde damit angefangen, legt auch schon der Nächste los. Unwillkürlich reißt man den Mund auf, so weit, dass die Gesichtsmuskeln auf die Tränendrüsen drücken. Die Augen werden feucht, die Herzfrequenz steigt, das Einatmen will gar kein Ende mehr nehmen – bis nach all dem Luftholen und Muskelstrecken endlich die große Entspannung folgt. Schon passiert? Nein?

Lachen steckt zwar ebenfalls an, ist aber längst nicht so verführerisch wie Gähnen. Nur die wenigsten lassen sich durch einen geschriebenen Text zum lauten Lachen verleiten. Maximal verrät ein ironisches Schmunzeln um die Mundwinkel, dass sie gerade etwas von Hirschhausen und nichts von Hämorrhoiden lesen.

Ist das Primat der Langeweile genetisch? Warum müssen wir überhaupt gähnen, und was sagt die Wissenschaft dazu – die Gähnforschung?

Zunächst: Gähnen hat nix mit Sauerstoffmangel zu tun, auch wenn sich diese Behauptung seit vielen Jahren hält. Nach dieser These versucht der Körper durch das tiefe Einatmen beim Gähnen wieder an mehr Sauerstoff zu kommen, wenn die Luft dünn wird. Das wiederum verschärfe den Sauerstoffmangel für die anderen noch – und so versuche der Nächste automatisch, seine Sauerstoffsättigung noch auf den letzten Zügen zu optimieren. So gähne einer nach dem anderen wie «angesteckt». Alles Quatsch. Gibt man Menschen im Versuch reinen Sauerstoff zum Atmen, gähnen sie genauso viel oder wenig wie bei «schlechter», sprich: mit CO_2 angereicherter Luft.

Plausibler erscheint schon die Hypothese, nach der Gähnen eigentlich ein Wachmacher ist, denn es tritt besonders häufig auf, wenn die Umgebung gerade keine große Abwechslung bietet, eine niedrige Aufmerksamkeit aber ungünstig oder sogar gefährlich wäre, zum Beispiel bei langen Autofahrten. Gerade das Gähnen hielte uns noch wach und das Hirn beschäftigt.

Eine weitere Erkenntnis der Gähnforschung: Wir sind mit dem Phänomen nicht allein. Katzen, Hunde und Fische gähnen auch. Kein Wunder – so ein Tag in einem Fischglas kann einem schon mal lang werden.

Übrigens gähnen Menschen schon vor der Geburt bereits als elf Wochen alter Fötus. Wahrscheinlich aus dem gleichen Grund wie die Fische – der Fötus kann aus seinem Wasser ja noch nicht mal rausschauen! Kaum ist der Mensch geboren, bringt man ihm bei, immer die Hand vor den Mund zu halten, da Gähnen in Gesellschaft ordinär und peinlich sei. Wie dumm, denn Gähnen kann doch so angenehm sein! Und eigentlich dürfen es ruhig alle sehen. Denn, so fanden die Gähnforscher heraus, Gähnen ist ein Ausdruck der Gruppenzugehörigkeit! Man gähnt allein viel seltener als in Gesellschaft. Über den Grund dafür können Wissenschaftler nur spekulieren: Möglicherweise haben die Urzeitmenschen mit dem Gähnen die Aktivitäten in ihrer Gruppe aufeinander abgestimmt. Sie haben vielleicht mit Gähnen am Morgen signalisiert, dass sie aktiv werden wollen, und die anderen aufgefordert, mit auf die Jagd zu gehen. Und abends, dass es jetzt Zeit ist fürs Schlafen. Und haben Sie nun inzwischen schon, lieber Leser ...? Nein? Schlechtes Zeichen! Denn: Menschen mit weniger Mitgefühl lassen sich auch weniger anstecken.

Wir Menschen beobachten uns gegenseitig sehr genau, insbesondere die Gesichtsausdrücke anderer. Damit wir uns gut in sie hineinversetzen und Freund, Feind und Fortpflanzungspartner halbwegs unterscheiden können. Unser Hirn spiegelt die Gefühle unserer Nachbarn über Nachahmung, mit den sogenannten Spiegelneuronen. Besonders mitfühlende Menschen sind «ansteckungsgefährdet». Psychopathen und Psychotikern dagegen ist es nicht gegeben, sich in andere hineinzuversetzen, die haben mit ihrer eigenen Störung schon mehr als genug zu tun. Gähnen signalisiert also nicht «Du langweilst mich», sondern «Ich fühle mit dir»!

Die Gähnforscher entdeckten weiterhin. Männer und Frauen gähnen gleich oft. Und jetzt verlasse ich das Terrain der Forschung für eine eigene Beobachtung. Das Fiese ist doch, dass Frauen gähnen können, ohne dass man es ihnen anmerkt, und es steckt trotzdem an! Ein feminines Zucken um die Mundwinkel – und der Typ fällt voll drauf rein und reißt seine Klappe minutenlang auf. Wahrscheinlich testen Frauen uns Männer auf diese Art heimlich auf Beziehungsfähigkeit und Mitgefühl – ein nonverbales «Willst du mit mir gähn?».

Fazit: Umgeben Sie sich mit Menschen, mit denen Sie gut gähnen können. Aber auch gut lachen. Keine Psycho-Pathen, sondern Sym-Pathen – sprich: Mit-Fühler! Und das meine ich ganz praktisch – ohne Pathos.

Sport

Heimspiel – Zu Hause unbesiegt

«Heimspiel» – fast schon ein Schimpfwort. Als brauchte es keine besondere Anstrengung, «zu Hause» zu gewinnen. In mancher Saison blieb Schalke zwar im Revier unbesiegt, bei vielen anderen Vereinen scheint das Heimspiel aber gar nicht von Vorteil zu sein. Wer versagt hier: die Spieler, die Fans oder gar die Hormone?

Grundsätzlich sind Heimmannschaften erfolgreicher. Um 0,51 Tore. In den ersten 35 Jahren Bundesliga ging rund jeder zweite Sieg an den Gastgeber, aber nur jeder fünfte an die Gäste. Der Rest trennte sich unentschieden. Bei 18 Weltmeisterschaften ging der Pokal sechsmal an das Gastgeberland. Warum wohl?

Der Evolutionsbiologe Nick Neave hat Speichelproben von Fußballern gesammelt und den sprichwörtlichen Heimvorteil in Pikogramm gemessen: Der Testosterongehalt, normal bei 100 pg/ml, klettert auswärts auf 120 pg/ml, aber vor Heimspielen auf sagenhafte 150 pg/ml. Spielt das Team gegen einen «Erzfeind», erreichte er sogar 167 pg/ml – ein Wert, der sonst nur bei Braunbären direkt während der Paarung gemessen wird (was technisch sehr schwierig ist).

So erklärt Neave, warum Manchester United 63 Prozent seiner Siege zu Hause errungen hat. «Wie andere Tiere, die ihr heimatliches Revier bewachen und beschützen, sind Fußballspieler aktiver und selbstsicherer, wenn sie von auswärtigen Gruppen bedroht werden.»

Der Testosterongehalt im Blut der Schiedsrichter wurde indes nicht untersucht. Wobei ich vermute, dass vor allem sein Adrenalin steigt, was wahrscheinlich an den Schlachtrufen «Schiri – wir wissen, wo dein Auto steht!» liegt. Tatsächlich bekommt die auswärts spielende Mannschaft eher Rot zu sehen. Auf Italienisch heißt Heimspiel übrigens *incontro in casa*. Und ein lebensfroher Schiri trifft ungern nach dem Spiel in *nostra casa* auch noch auf die Cosa Nostra.

Welche Rolle spielen die Fans? Bernd Strauß, Sportpsychologe an der Universität Münster, hat schon vor Jahren bewiesen, dass der Heimvorteil nicht am Klatschen liegen kann. Ein Heimpublikum ist zwar besonders laut, enthusiastisch und parteiisch. Im Idealfall verleiht es Flügel, aber mitunter geht der Druck auch nach hinten los, und das Klatschen führt zur «Klatsche»: Der Applaus macht die Heimmannschaft nervös, und die Spieler rennen zwar schneller, treffen aber nicht besser.

Doch unbeirrt von jeder Statistik glauben die Fans weiter daran, dass sie das Spiel entscheiden. Der «zwölfte Mann» läuft sich warm, indem er sich volllaufen lässt. Und während der Testosteronspiegel auf dem Rasen steigt, sinkt er auf den Rängen. Denn Bier enthält pflanzliche Hormone, die dummerweise gerade nicht männlicher, sondern weiblicher machen. Die Folge: «Gynäkomastie» – von den Betroffenen sehr viel populärer «Biertitte» genannt. Wenn es also heutzutage immer heißt, es kämen mehr Frauen ins Stadion, werde ich skeptisch. Wurde wirklich das Geschlecht oder doch der Brustumfang erfasst?

Die hormonelle Verirrung macht auch vor den Spielern nicht halt. In der aktuellen Bundesligasaison war von tierisch-testosteron-getriebenem Kampfeswillen wenig zu sehen. Woher soll denn der Körper wissen, wann Heimspiel ist, wenn der Spieler selbst sein Revier jede Saison wechselt? Oder noch schlimmer in München, wo ich MEIN Spielfeld auch noch mit dem Erzfeind teilen muss. Und als sichtbares Zeichen für all die Verwirrung wechselt das Stadion auch noch hinterrücks wie ein Chamäleon die Farbe! Wenn Arenen globalisiert werden, sinkt die Kampfeslust zwangsläufig. Im Volksparkstadion in Hamburg opfere ich mich immerhin für mein «Volk» und mach ihn rein; bei der HSH-Nordbank-Arena frag ich mich nur noch matt: Reicht mein Geld? Im Frankenstadion geh ich für den 1. FC Nürnberg über meinen Leistungs-Dispo, aber für easy credit? Und in Bielefeld ist für die Alm schon längst der letzte Schüco-Vorhang gefallen. Kein Wunder, dass da das Männlichkeitshormon frustriert den Kopf hängenlässt. Von anderen testosteronabhängigen Organen ganz zu schweigen ...

Aber ich habe noch Hoffnung. Denn bei aller Statistik und Hormonmesserei gibt es eine Tatsache aus dem privaten Erfahrungsschatz, die jeder Mann hinter vorgehaltener Hand bestätigen wird: Gerade wenn es daheim eine Weile nicht so gut läuft, steigen irgendwann automatisch der Wille und die Chance für einen Treffer auswärts! Das ist bei der zweitbesten Nebensache der Welt nicht anders als bei der allerbesten.

Das Wichtigste beim Streichholz ist der Kopf. Und beim Fußballer? Dumm kickt gut, sagt man immer, und die beruhigende Nachricht: Wer nicht dumm geboren wurde, kann diese Grundqualifikation durch ausgiebiges Kopfballspiel nachholen. Denn Hirnforscher schlagen Alarm: Mit jedem Zusammenprall von Lederkugel und Hirnlappen gehen Nervenzellen hops. Kopfbälle führen zur Hirnerschütterung, und die führt zu Gedächtnisverlust. Das Praktische – bis zum nächsten Spiel hat man das vergessen.

Sollen jetzt also alle Fußballer mit Helm spielen? Das will ja auch keiner sehen. Wozu die Aufregung? Köpfen ist nicht gut fürs Hirn, das ist doch schon lange bekannt – spätestens seit der Französischen Revolution!

Längerfristig leiden tatsächlich das strategische Denken und die Sprachfähigkeit – Edmund Stoiber muss als Jugendlicher sehr kopfballstark gewesen sein. Denn gerade das jugendliche Hirn ist sehr viel empfindlicher als das ausgewachsene, sodass der DFB den Jungmannschaften sogar empfiehlt, bis zum 14. Lebensjahr auf das Kopfballtraining zu verzichten. Wer auch mit grauen Haaren noch etwas im Kopf haben will, sollte seine grauen Zellen pfleglich behandeln. Leider wird dieser Ratschlag in der Praxis nur selten befolgt. Sogar Zuschauen kann gefährlich sein. Als ich das erste Mal im Stadion war, hab ich eine Klopapierrolle an den Kopf bekommen. Jetzt denken Sie wahrscheinlich: «Diese Mimose, was ist denn daran schlimm?» Na ja – wenn der Wandhalter noch dran ist …

Auch wenn die Deutschen behaupten, Schläge auf den Hinterkopf würden das Denkvermögen erhöhen, ist das Gegenteil richtig: Ein Ball wiegt zwar nur 500 Gramm, aber wenn der mit über 100 Stundenkilometern den Kopf trifft, wirkt es wie 500 Kilo. Wer köpfen will, sollte es also gut können, um die enormen Kräfte zu kontrollieren. Wird der Kopf mit Muskelspannung fixiert, nimmt quasi der gesamte Körper den Impuls auf – andernfalls werden die fünf Kilo Kopf von den 500 Kilo einfach «weggerissen». Am schlimmsten sind deshalb unvorbereitete Treffer am Kopf, gerade auch die seitlichen. Noch schlimmer als ein Ball sind natürlich andere Köpfe oder Pfosten, da sie noch weniger nachgeben als Leder.

Solange die Gehirnerschütterung nicht ausgeheilt ist (ca. 5–7 Tage), reagiert das Gehirn extrem empfindlich auf erneute Erschütterungen. In diesem Fall kann dann sogar ein «richtig» ausgeführter Kopfball zu schweren Folgeverletzungen führen. Kurioserweise sind beim vermeintlich brutaleren Boxen die Schutzbestimmungen viel schärfer als beim Fußball. Ein Boxkampf wird beendet, wenn einer der Boxer offensichtlich unter starker Bewusstseinsbeeinträchtigung leidet. Der Getroffene selbst wird für vier Wochen gesperrt. Wo aber genau die Grenze liegt, ab der es gefährlich wird, dafür hält kein Experte seinen Kopf hin. Aber eins ist klar: Der langfristige «Verdummungseffekt» unserer Kicker könnte weitgehend vermieden werden, wenn Gehirnerschütterungen erkannt würden und ausheilen könnten. Als Warnsymptome gelten: Der Spieler wirkt benommen, ist sich unsicher über den Spielstand, weiß nicht, gegen welche Mannschaft er gerade spielt, und antwortet langsam. Zugegeben, nach diesen Kriterien könnte man die Hälfte der Spieler vom Platz stellen. Deshalb spielen auch alle weiter, mit den bekannten Folgen für die Interviews zwischen Hamburg und Mailand.

Fazit: Um Stress für den Kopf im Spiel wie im Leben gering zu halten, gibt es ein einfaches Rezept: den Ball immer schön flach halten. Aber das letzte Wort zu diesem Thema gebührt natürlich dem unvergessenen Kopfball-Ungeheuer Horst Hrubesch: «Ich sage nur noch EIN Wort: Vielen Dank!»

Bewegung – Ich bin doch nicht blade

Nordic Walken ist in, es schont so schön die Gelenke. Belastet werden nur die Zwerchfelle von allen, die uns unfreiwillig dabei betrachten müssen. Seien wir ehrlich, es sieht bescheuert aus. Dabei ist die Grundidee ja richtig: Ein Marketingexperte einer finnischen Sportartikelfirma dachte lange darüber nach, ob es einen Weg gibt, auch im Sommer Skistöcke zu verkaufen. Und richtig: Er erfand Nordic Walking und macht seitdem Millionen, weil Millionen es machen. Der Deutsche wandert nicht mehr über Stock und Stein, sondern verstockt auf Asphalt. Skifahren ohne Skier. Statt Schuss beim Abfahren jetzt Langlauf ohne Loipe – wie abgefahren! Gegen Gehen hat ja niemand was. Aber Walkern kannst du ja momentan noch nicht mal mehr aus dem Weg gehen – sie sind überall. Nicht schnell, aber viele. Wenn du versuchst, zwischen ihnen mit dem Fahrrad Slalom zu fahren, wisse, sie boykottieren bewusst die Erfindung des Rades. Achtung: Sie sind bewaffnet. Der Stock ist ganz schnell zum Speer umfunktioniert. Also Vorsicht.

Ich hab wirklich nichts gegen mehr Bewegung, im Gegenteil. Die Knie schonen zu wollen ist auch nicht verkehrt. Hätte Gott wirklich gewollt, dass wir aufrecht gehen, hätte er uns bessere Knie gegeben. Was uns ab 40 in die Knie zwingt, sind: die Knie!

Noch besser als Nordic Walken soll ja deshalb auch Bladen sein. Also Rollen. Inline-Skaten. Statt die Gelenke mühselig beim Laufen über Jahre zu verschleißen, reicht jetzt ein einziger Sturz, und die Knie sind im Arsch. Entschuldigen Sie den Ausdruck, aber angesichts der Geschwindigkeiten auf Rollschuhen ist das sogar anatomisch korrekt. Ich weiß, wovon ich spreche. Ich habe es ausprobiert. Gesundheitsbewusst, wie ich bin, versuchte ich durch die richtige Ausrüstung Risiken zu minimieren und trug Schoner über Ellenbogen, Knien und

Handgelenken. In voller Montur inklusive Helm bist du allerdings praktisch bewegungsunfähig und daher ausschließlich auf die Rollen angewiesen. Ein Teufelskreis.

Das Prinzip der Rolle zur leichteren Bewegung von Lasten ist mir durchaus vertraut. Vom Möbeltransport. Aber bei den Schuhen, die ich anprobiere, sind die Rollen nicht etwa sorgsam klein und in allen vier Ecken verteilt. Nein. Die Hersteller tun alles dafür, einen festen Stand zu vereiteln: große glatte Rollen, und alle in einer Schusslinie! An jedem Kinderwagen sind Bremsen vorgeschrieben. Nur Erwachsene meinen, sich noch unter das Niveau von Krabbelkindern begeben zu müssen, indem sie sich ungebremste Rollen unter die Füße schnallen.

Zugegeben: Der rechte Schuh hat am Hacken einen kleinen Gummi-pfropfen, den sogenannten Stopper. Eine kleine Überschlagsrechnung: Wie realistisch ist es, 85 Kilo Körpermasse, die durch ein Gefälle von 5 Prozent auf 45 Stundenkilometer beschleunigt wurde, durch sanften Druck auf eine Fläche von der Durchschlagskraft eines Radiergummis zu «stoppen»? Ein Pfropfen auf den heißen Stein. Da bekommt Über-schlags-Rechnung eine neue, ganz konkrete Bedeutung.

Das Trügerische: Ich will ja gar nicht anhalten, denn Stehen ist auf den Dingern viel schwerer, als in Bewegung das Gleichgewicht zu halten. Besser gesagt: das Gleichgewicht zu «variieren». Ein paar Schlittschuhschritte, und ich rolle. Nach den ersten Schrecksekunden stellt sich plötzlich ein Gefühl tiefer Genugtuung ein. Ich spüre: Das Ziel der Evolution ist erreicht. Aufrechter Gang war gestern. Die Neu-zeit gleitet auf Rollen. Unaufhaltsam.

Leichtigkeit, Anmut, Grazie. Alles strahle ich aus. Ich täusche mich. Nicht aber die Menschen, die mir entgegenkommen. Sie wissen um die Gravitationskräfte hinter meiner Grazie, schauen mitleidig – und wechseln die Straßenseite. Noch besser Hunde. Sie wittern kilometer-weit den Grad deiner Inkompetenz und wissen: Gleich bist du wieder auf einer Ebene mit ihnen – auf allen vieren.

Beim Autofahren hofft man ja, im Falle des Kontrollverlusts mög-lichst auf KEIN Hindernis zu prallen. Beim Bladen ist es genau umgekehrt. Ich suche aktiv Hindernisse, um die Kontrolle wiederzuerlangen. Woran festhalten? Baum oder Gebüsch? Zaun oder Laterne? Ich nehme ein Taxi. Keine bewusste Entscheidung. Es steht plötzlich vor mir, ich bretter hinein und klammer mich reflexartig oben am Taxi-Schild fest. Der Taxifahrer gibt in Panik Vollgas. An der nächsten roten Ampel erspähe ich einen Gullydeckel und lasse mich fallen. Perfekt. Ein Rums, und die Rollen stecken im Kanalgitter, so fest, dass sich die Schuhe nie wieder rühren können. Geschafft. Ich laufe barfuß heim, jede Zehe Bodenhaftung, ein Genuss. Die Erde hat mich wieder. Das Laufen auf zwei Beinen braucht keine evolutionäre Weiterentwicklung. Artenschutz gilt nicht für Trendsport-Arten, einige dürfen ruhig wieder aussterben. Mir reichen als technologische Errungenschaft des 20. Jahrhunderts: Socken mit Gumminoppen.

Essen

Ich liebe Brezeln, am besten mit ordentlich Butter drauf. Natürlich habe ich dabei immer ein schlechtes Gewissen. Aber alle fünf Jahre aus einem anderen Grund! Früher hieß es: «Butter? Bist du wahnsinnig, willst du dich umbringen? Nimm bloß Margarine! Die ist pflanzlich und sooo viel gesünder.» Was wurde nicht über Butter versus Margarine gestritten! Ganze Familien sind darüber zerbrochen: «Nein, du reichst deinem Vater jetzt nicht die Butter rüber. Du machst dich sonst mitschuldig an seinem vorzeitigen Ableben.» Heute wissen wir, dass der Unterschied in der Lebenserwartung maximal drei Monate ausmacht, und es ist noch unklar, zu wessen Gunsten. Diese Zeit haben wir mit dem Lesen und Diskutieren indes längst verplempert.

Dann kam die Zeit, wo das Salz auf der Brezel verteufelt wurde. «Salz: mit dem Streuer direkt zum Herzinfarkt». Selbstmord quasi aus dem Handgelenk geschüttelt, jedes Körnchen kostet dich einen Tag deines Lebens. Tatsächlich gibt es Menschen, die ein Problem mit Salz haben. Sie häufen es in ihrem Körper an und speichern viel Flüssigkeit, die sie ständig durch die Adern pumpen müssen, um sich nicht innerlich zu pökeln. Das sind aber eher seltene Fälle. Wer ohne Grund nicht mehr salzt, der darf sich nicht wundern, wenn ihm das Leben plötzlich fad vorkommt.

Nach einiger Zeit kamen die versteckten Fette in Verruf. Der berühmte Test: Drück das Lebensmittel deiner Wahl gegen ein Stück Papier und schau durch die Fettflecken der Wahrheit ins Gesicht. Was so harmlos aussieht, ist verdammt teuflisch. Der Teufel steckt im Detail, und kurz dahinter, Zweite rechts, stecken die versteckten Fette und lachen sich ins fette Fäustchen bei jedem, der sich diese Zeitbombe einverleibt. Eine Zündschnur langer Kohlenwasserstoff-Ketten, die uns von innen fesseln. Wenn das die Erfinder der Backkunst gewusst hätten, was sie da anrichten! Sie hätten wie der Herr Nobel nach der Erfindung des Dynamits aus schlechtem Gewissen ihr ganzes Geld gestiftet. Dann hätten wir heute nicht nur den Friedensnobelpreis, sondern auch den Brezel-Preis für friedliche Backwaren.

Seit George W. Bush einmal beinahe an einer Brezel erstickt wäre, gelten die in den USA doch tatsächlich als Biowaffen. Man hat ja selbst im Irak schon Mehl gefunden, das durchaus zum Brezelbacken verwendet werden könnte! «Pretzels» dürfen auch nicht in die USA eingeführt werden, man bekommt sie nur noch gegen Waffenschein in den Bäckereien ausgehändigt. Auf allen ist ein Warnhinweis: «Achtung: Wenn Sie von dieser Teigware mehr abbeißen, als in Ihrem Mund Platz hat, führt dies zu akuter Atemnot, Schadenfreude und Lachanfällen in weiten Teilen der Weltbevölkerung.»

Doch damit nicht genug. Aus den USA wird uns jetzt der neueste Grund geliefert, keine Brezeln mehr zu essen: LOW CARB, Kalorien sparen durch weniger Kohlenhydrate. Nun heißen die Dinger ja nicht zufällig wie Hydra, die griechische Schlange: Immer, wenn der Hydra von wackeren Recken mit schwingendem Schwert der Kopf abgehoben wurde, wuchsen für jeden verlorenen Kopf zwei neue nach. So ist das mit den Kohlen-Hydraten auch. Für alle, die man aus dem täglichen Essen zu bannen versucht, wachsen zwei Ersatzstoffe nach, die keinen Deut besser sind. Zucker wird ausgetauscht durch Saccharin. Schmeckt doch auch süß. Toll. Die Zunge lässt sich täuschen, der Zuckerfühler im Hirn schon nicht mehr. Vehement verlangt er: mehr Süßes! Mit Saccharin wird allen Leuten das Essen ver«lightet», ohne dass dadurch jemals nachgewiesenermaßen jemand abgenommen hat. Im Gegenteil: Saccharin wird in der Tierzucht eingesetzt, denn es führt nachweislich dazu, dass Schweine schneller zunehmen. Wunder über Wunder: Das funktioniert auch beim Menschen. Der Mensch wiederum meint allen Ernstes, dass sämtliche Kalorien aus Hamburger, Pommes und Milchshakes durch den Körper unangetastet hindurchgespült werden, wenn man nur reichlich Diät-Cola hinterhertrinkt.

Beim Low-Carb-Brot ist für mich Schluss. Wenn ich Brot esse, dann aus genau diesem Grund: weil es Kohlenhydrate enthält. Diesen Wahnsinn werde ich nicht mitmachen, auch wenn die Welle in Deutschland hohe Wogen schlägt – ich warte, bis sie überschwappt und verebbt.

Ich bin doch nicht übergeschnappt! Ich gehe jetzt zu meinem Lieblingsbäcker, kaufe mir eine ofenfrische Brezel, lasse auf dem noch warmen kohlenhydratreichen Teig ein Stückchen Butter zerfließen und ziehe endlich die Konsequenz aus allem, was ich in den letzten zwanzig Jahren aus der sogenannten Ernährungswissenschaft gelernt habe: Ich höre auf, mich weiter damit zu beschäftigen. Ernst nehme ich nur noch das, was mir schmeckt, das wird mein Körper schon sortiert bekommen. Und wenn ich zu dick werde, esse ich von dem gleichen Zeug eben ein bisschen weniger.

Und ich weiß, wenn man sich lange genug nicht um Ernährungstrends kümmert, ist irgendwann das, was man gerne isst wieder voll im Trend. Vielleicht auch irgendwann wieder die Brezel. «Idealerweise hat der in sich symmetrisch verschlungene Teigstrang der Laugenbrezel außen eine knusprig-ledrige Salzkruste und innen einen weichen Hefeteigkörper, ist am sanft geschwollenen Bauch etwas aufgesprungen und saftig, in den dünnen Teigarmen kross, aber nicht trocken.» Wem bei dieser Beschreibung kein Wasser im Mund zusammenläuft, der möge sich klarmachen: Die Brezel ist das einzige Gebäck, durch das die Sonne gleich dreimal scheint!

Ich wünsche beharrlich guten Appetit!

Diät zu halten ist nicht schwer. Tagsüber. Blöd ist es immer nur nachts. Tagsüber warst du standhaft, hast dich an alle Vorschriften gehalten und eine Scheibe Gurke auf drei Mahlzeiten verteilt. Du bist stolz auf dich, weil du bis hierher durchgehalten hast. Mit einem Lächeln setzt du dich auf dein Sofa im Wohnzimmer, um deinen Triumph zu genießen. Es wird langsam dunkel, und du beginnst zu ahnen: Im Dunkeln gelten andere Gesetze.

Es ist still. Du hörst nur zwei Geräusche: deinen Magen und den Kühlschrank.

Beide brummen leise vor sich hin. Kein Problem.

Beide brummen lauter. Macht dir doch nichts aus.

Das Brummen deines Magens ist inzwischen sogar für die Nachbarn eine Zumutung.

Das Brummen des Kühlschranks klingt wie eine Sirene; allerdings weniger wie ein Warnton, vielmehr wie ein Lockruf. Die Sirene erinnert dich an Odysseus. Der griechische Held wusste, dass er dem Locken der Sirene nicht mit Willenskraft würde widerstehen können. Kein Vorsatz, keine Einsicht, keine Vernunft würde ihn vor dem Unausweichlichen retten. Aber Odysseus war ein kluger Mann und wählte eine List: «Männer – fesselt mich an den Mast!»

Gute Idee. Du schaust dich im Wohnzimmer um. Nirgendwo ein Mast zu sehen. Kurz liebäugelst du mit der Yuccapalme. Aber es ist ja auch niemand da, der dich fesseln könnte.

Du stehst auf, tigerst in der Wohnung rum. Schaust ins Schlafzimmer. Aber da ist schon lange keiner mehr, der dich fesseln könnte... ZACK – stehst du vor dem Kühlschrank. Keine Ahnung, wie du da hingekommen bist. Eigentlich wolltest du ja am Kühlschrank vorbeilaufen, zur Wand. Aber wo du jetzt schon mal hier bist ...

Es war keine Maßlosigkeit – streng genommen war es Mast-Losig keit. Der Wille war stark, doch die Yuccapalme hätte es nicht ausgehalten! Also trifft dich auch, das wissen die Götter, keine Schuld.

Männer und Frauen gehen nachts am Kühlschrank unterschiedlich vor. Männer glauben ernsthaft, der Körper sieht nicht, was man alles in sich hineinfrisst, solange man in der Küche kein Licht anmacht. Frauen hingegen sind davon überzeugt, dass der Körper nichts merkt, wenn man das Essen unbemerkt an der Zunge vorbeischleust. Statt etwas zu genießen, schlucken sie erstaunliche Mengen in kürzester Zeit an der Zunge vorbei – war was, Zunge? Nö, ich hab nichts geschmeckt.

Ich hab da meine ganz eigene Vorgehensweise: Wenn ich mal einen Abend zu viel gegessen habe, dann zwinge ich mich dazu, nachts an den Kühlschrank zu gehen und die gleiche Menge Eiscreme nochmal hinterherzuessen. Warum? Es ist ja so: Kalorie ist eine Wärmeeinheit. Deshalb darf man nach meiner Theorie alles, was unter null Grad hat, von der Bilanz wieder abziehen. Das muss ich mir gleich schützen lassen – bevor es die Brigitte erfährt! Die Hirschhausen-Diät – abnehmen mit Humor und Häagen-Dazs!

Was war die schönste Nachricht aus der Wissenschaft dieses Jahr? Dass leicht übergewichtige Menschen länger und gesunder leben, insbesondere, wenn sie sich regelmäßig bewegen! Diese ganze Kalorienzählerei führt doch eh zu nix, und vieles kann die sogenannte Ernährungswissenschaft bis heute nicht erklären. Da hast du dich pflichtbewusst am Abend noch gewogen, UPS – und spontan beschlossen, heute gibt's nix mehr. Nachts musst du wegen etwas anderem nochmal aufstehen und erbarmst dich, diese vereinsamte winzige Ecke von dem leckeren Schweizer Käse ihrer wahren Bestimmung zuzuführen. Nur diese eine kleine Ecke. Lass es 80 Gramm gewesen sein. Na gut, 100 Gramm, mehr waren es aber wirklich nicht! Das weißt du genau – mehr waren ja auch gar nicht mehr da!

Am nächsten Morgen steigst du ausgehungert auf die Waage – und wiegst nicht 100 Gramm mehr, sondern 500 Gramm! Wo bitte kommen diese 400 Gramm über Nacht her? Meine Spekulation: Diese

Löcher in dem Käse – die wurden jahrelang unterschätzt. Das ist nicht einfach Nichts, im Gegenteil! Wahrscheinlich enthalten die eine spezielle Form von Antimaterie, die sich erst im Magen entfaltet und dann über Nacht Gravitationsmasse aus dem Weltall magisch anzieht! So muss es sein. Und da glaub ich jeder Bäckersfrau mehr als irgendwelchen Kalorienerbsenzählern. Bäckersfrauen wussten schon immer: Die Hüfte ist mehr als die Summe aller Teilchen.

Wann bin ich attraktiv für andere? Wenn ich mich selbst attraktiv finden kann. Und das hat mit der äußeren Form viel weniger zu tun als mit der inneren Haltung. Das steht schon in der Bibel: «Liebe dich selbst, dann können die anderen dich gernhaben!»

Fasten – Es kommt darauf an, was hinten rauskommt

In allen Kulturen der Welt gibt es Techniken, um den Pfad der Erleuchtung abzukürzen: zu schweigen, zu beten oder – hierzulande am beliebtesten – mit Hilfe des Körpers Wein in Wasser zu verwandeln. Aber auf Dauer ist der Pfad der Erleuchtung mit dem Zickzackkurs der alkoholischen Verwandlung nicht in Einklang zu bringen. Essen macht glücklich – aber angeblich auch das Nichtessen, das Fasten. Den Körper auszuhungern soll die Seele nähren. Wenn es nicht Passionszeit ist, die einem das Fasten nahelegt, ist es das drohende Frühjahr, wo einem die unchristlich knappen Sachen wieder passen sollen, die einem streng genommen schon das letzte Frühjahr nicht mehr gepasst haben.

Ich habe gefastet. Nicht so sehr, um abzunehmen, als vielmehr, um mal wieder meine übelsten Ernährungsgewohnheiten zu unterbrechen, ein Neustart für den Verdauungskanal, ein Reset für meine Fastfood-vergrätzten Darmzotten. Am meisten aber interessierte mich: Was passiert dabei mental? Denn beim Fasten stellt das Hirn seinen Stoffwechsel auf eine andere Basis, und das soll einerseits den Hunger stillen, aber dank des Botenstoffs Serotonin andererseits für Hochgefühle, Glückseligkeit sorgen, ja sogar zur erlebten Einheit mit dem Universum führen.

Die rituelle Vorbereitung beim Fasten ähnelt der vor einer größeren Bauchoperation. Dafür hätte ich gerne zwischenzeitlich eine Krankenschwester dabeigehabt. Aber es musste auch so gehen, mit Glaubersalz. Ein orales Abführmittel, das die Passage der verbliebenen Nahrung erleichtern soll. Mein weiser Körper dachte darüber anders, merkte, dass er hier wertvolle Nahrungsbestandteile leichtfertig wieder hergeben sollte, die er schon mühevoll bearbeitet hatte, und entschied: Da trenne ich mich doch lieber wieder vom Glaubersalz. Ich hätte es wissen können: Wie eklig Glaubersalz ist, merkte ich schon beim Anrühren. Nicht mal das Wasser will mit dem Zeug etwas zu tun haben und verweigert dem Salz, sich in ihm aufzulösen. Nach dem «Glaubern» war mein Appetit auf alle Fälle für längere Zeit vom Glauben abgefallen. Jetzt musste ich nur noch vom Fleische fallen.

Fasten heißt ja nicht gar nichts essen. Nur nichts Festes. Auf dass, wenn man erst mal eine Woche lang nur Flüssiges zu sich genommen hat, der erste Apfel zum Fastenbrechen automatisch zu einer Fest-Speise werde. Wohl denn!

Im Reformhaus erstand ich Säfte für die ganze Woche: Sauerkrautsaft, Gemüsesaft von glücklichen Mohrrüben und Mischgetränke von ansonsten unverdaulichen Knollen, die sich in grober Verkennung ihrer lustfeindlichen Bestimmung «Cocktails» nannten.

Als ich an der Kasse die Summe erblickte, die mich diese abgepressten Lebensmittelreste kosten sollten, verzog sich mein Gesicht, als hätte ich den Sauerkrautsaft schon intus. Mein Portemonnaie und ich fühlten uns wie frisch erpresst. Egal, man will schließlich an Kalorien sparen und nicht am Geld. Fasten ist ein sehr teurer Spaß – wenn überhaupt einer.

Die erste große Überraschung beim Fasten: Es geht. Es ist wirklich gar nicht so schwer. Ab und an knurrt der Magen, aber das Gefühl der Freiheit kann ich nur bestätigen. Du «musst» nichts essen. Nach den ersten drei Tagen ist der Hunger tatsächlich weg, und du gehst mit einem an Verachtung grenzenden Stolz an all denen vorbei, die noch im Essenswahn gefangen sind. Dir fällt auf einmal auf, welchen völlig unangemessenen Platz wir der Nahrung gewöhnlich einräumen: Erwerb, Zubereitung, Verzehr und Verdauung. Die Freiheit vom Körper wird zu einer Freiheit im Geiste, und für jedes Gramm, das du verlierst, gewinnst du eine Stunde gefühlter und eben nicht mehr mit gefülltem Magen nur verdöster Lebenszeit hinzu. An Tag fünf bist du schon so gefestigt, dass du auch durch einen Supermarkt schlendern kannst. Mit leerem Einkaufswagen und dem Philosophensatz auf den Lippen: «Sieh nur, was ich alles NICHT brauche!»

Okay, zwischendrin schluckst du heimlich einen Liter Speichel herunter, aber – es geht. Die zweite Überraschung: Die große Erleuchtung ließ auf sich warten. Ich wartete praktisch täglich auf sie, aber sie kam nicht. Die dritte Überraschung: Auch wenn man oben nichts Nennenswertes mehr hineingibt, kommt hinten immer noch etwas heraus. Und zwar die ganzen zehn Tage! Wir sind randvoll mit Verdauungszwischenstufen und Nahrungsendprodukten. Die reichen für viele Wochen! Einheit mit dem Universum? Im wahrsten Sinne: geschissen! Vielleicht besteht genau darin die eigentliche tiefe spirituelle Erfahrung.

Cola – Gemüse ist nichts für Kinder

Meine Lieblingsentschuldigung ist weg, sie wurde Opfer der Wissenschaft. Über Jahre habe ich mich damit getröstet, ein Schokoholic zu sein, ein Kakao-Junkie, ein Süchtiger aller Schokoladen-Derivate, von Brotaufstrich bis Betthupferl. Und jetzt kommt da so ein britischer Forscher daher und beweist: Schokoladensucht gibt es gar nicht! Alles nur Ausrede, Einbildung und Psychologie. Immer hieß es, dass wir wegen der glücklich machenden Botenstoffe und Cannabinoide nie genug bekämen vom schwarzen Gold. Das stimmt zwar, namentlich das Tryptophan wird im Kopf zu Serotonin, dem Vermittler der entspannten Glückseligkeit. Wäre dieser Mechanismus aber entscheidend, würden wir alle lieber Zartbitter- als helle Schokolade essen, denn je mehr dunkler Kakao, desto mehr stimmungsaufhellende Substanzen. De facto ist den meisten Menschen aber mit «Herren-Schokolade» nicht der Mund wässrig zu machen, bei vollmundiger Vollmilch fließt jedoch der Speichel – während der Widerstand schmilzt.

Auch in Bananen oder Cashewnüssen steckt viel Tryptophan, aber wer hätte sich je als abhängig bekannt? «Du, ich hab immer Cashewnüsse in der untersten Schublade im Büro» oder «Seit meiner Trennung stopfe ich eine Banane nach der anderen in mich hinein, ist halt wie 'ne Sucht» – haben Sie so etwas schon mal gehört? Was ist denn dann der Kick, der uns mit jedem Riegel weicher werden lässt? «Eine weit überzeugendere Erklärung für unsere vermeintliche Sucht liegt in unserem zwiespältigen Verhältnis zu Schokolade», erklärt Peter Rogers von der University of Bristol. «Sie ist hochgradig begehrt, sollte aber mit Zurückhaltung genossen werden. Der ambivalente unerfüllte Wunsch, Schokolade zu genießen, wird somit als starkes Verlangen empfunden, das als ‹Sucht› bezeichnet wird.» Reaktanz nennen die Psychologen das. Sag zu einem vierjährigen Kind: «Du kannst alle

Buntstifte nehmen – nur nicht den gelben.» Dann plärrt das Kind verlässlich: «Ich wollte aber gerade Gelb!» Das Verblüffende: Das funktioniert auch mit jeder anderen Farbe. Und in jedem Lebensalter. Immer wollen wir, was wir nicht bekommen sollen. Den gleichen psychologischen Fehler macht ja meines Erachtens die katholische Kirche mit dem Sex. Nur durch das Interesse am Verbotenen wird der Austausch von Körperflüssigkeiten noch stärker überbewertet als beispielsweise Koffeinbrause. Apropos Cola. Wer sie jemals im Sommer warm und abgestanden im Mund hatte, weiß: So toll schmeckt die nicht. Der einzige Grund, warum weltweit Cola getrunken wird, ist doch, dass wir als Kinder das Zeug nicht trinken durften. Finger weg! Das grub sich tief in unser vierjähriges Hirn: «Wenn ich der Bestimmer bin, dann kauf ich mir so viele Colas, wie ich will.» Es funktioniert – weltweit.

Liebe Eltern – wenn Sie wollen, dass sich Ihr Kind später gesund ernährt, verbieten Sie weder Schokolade noch Cola. Ab heute sollten Sie konsequent BROCCOLI verbieten! Mit den gleichen Sprüchen! «Gemüse ist nichts für Kinder, wirklich, du verträgst das nicht. Ich würde es dir ja geben, aber es zerstört deinen Körper und die Zähne. Wenn du größer bist, dann darfst du auch mal Gemüse.» Und dann langsam steigern: «Hör auf zu quengeln, ich hab es dir oft genug erklärt!», bis hin zu: «Wenn du das Eis ganz aufgegessen hast und die Zweiliterflasche Cola ganz leer ist, dann gibt es Broccoli. Aber nur ein kleines Stück. Und pass auf, dass der Papa das nicht sieht!» Uraltes Prinzip. Wie hat Gott versucht, Adam und Eva zu gesunder Ernährung zu verführen? Er hat den Apfel verboten. Und es hat funktioniert! Seitdem gilt: «an apple a day keeps the doctor away.» Raffiniert.

Tee – Warum Glückstee so wahnsinnig aufregt

Neulich hatte ich überraschend einen Abend frei und entschied mich, zu Hause zu bleiben. Ich wollte mir einen guten Abend machen und erinnerte mich, dass ich aus dem Reformhaus noch eine Packung Guten-Abend-Tee hatte. Weil es ein richtig guter Abend werden sollte, hab ich gleich fünf Beutel genommen. Nach einer Tasse war ich eingeschlafen.

Wieso darf dieser Tee so heißen? Die richtige Bezeichnung wäre: «Scheißlangweiliger-Abend-Tee». Ich hab mir von einem Guten-Abend-Tee wirklich mehr erwartet: Kaum aufgegossen, und schon klingelt es an der Tür, Freunde mit kübelweise Sekt und lauter unternehmungslustigen Singles im Schlepptau stürmen die Bude, und PARTY! Nichts davon ist passiert. Reiner Etikettenschwindel!

Sowieso: Welche Heilserwartungen neuerdings mit Heißgetränken verknüpft werden! Angefangen hat das Desaster vor Jahren mit Yogi-Tee. Der musste immer zwanzig Minuten vor sich hin köcheln, sollte dafür aber direkt zur Erleuchtung führen. Ich hab mal probehalber das Licht in der Küche ausgemacht. Also geleuchtet hat da gar nichts.

Dann kam der grüne Tee. Unfermentiert, natürlich, und verdammt bitter. Ich habe ihn eine Weile wirklich in Todesverachtung heruntergewürgt und dachte, für die Gesundheit muss man eben auch bereit sein zu leiden, bis mir jemand verriet, das Wasser abkühlen zu lassen. Bei kochendem Wasser kommen die ganzen Gerbstoffe mit, bei 70 Grad nur ein Teil. Seitdem erholt sich meine Magenwand langsam von dem Gerbprozess. Ich vermute, ich sehe von innen schon ein bisschen aus wie Uschi Glas von außen.

Die weisen Chinesen gießen den grünen Tee mehrfach auf. Eine alte Spruchweisheit rät: «Den ersten Aufguss für die Feinde, den zweiten für die Freunde, und den dritten trinkt man selbst.» Ich biete den Menschen mit den Wurfsendungen, die immer überall im Haus gleichzeitig klingeln, auch schon morgens eine Tasse Tee an. Nur schade, dass es dann häufig bis zum Nachmittag dauert, bis ein Freund vorbeikommt, sodass ich endlich an meinen eigenen Aufguss komme.

Grüner Tee ist was für Kenner. Wer teetechnisch noch grün hinter den Ohren ist, trinkt aromatisierte Schwarztees mit Kirsch-Banane-Sahne-Rhabarber-Aroma. Im Tee kommt zusammen, was noch nie zusammengehörte. Oder nehmen Sie Ihre Banane sonst auch mit Kirschen und Sahne zu sich?

Es geht ja auch nichts mehr ohne Rotbusch! Weil das anregungsfreie Gestrüpp außer roter Farbe nicht viel zu bieten hat, wird es mit mehr Düften versehen, als in einem Duty-Free-Shop erhältlich sind. Zum Beispiel «Roibush Pina Colada». Da wird einem die sinnliche Exotik einer Cocktailbar vorgegaukelt, nur weil in der roten Brühe eine Kokosraspel und eine Ecke getrockneter Ananas schwimmen. Ein Multi-Kulti-Ethno-Aufguss: der Strauch aus der Wüste Afrikas, die Kokosnuss aus der Karibik und die geheime Rezeptur von Rossmann. Für die rücken selbst die Inkas posthum ihre geheimsten Lapacho-Tee-Rezepte raus. Warum sie damit nicht auch die Spanier vertreiben konnten? Nur nicht aufregen. Abwarten. Tee trinken. Nur, verdammt nochmal, welchen? Über Geschmack soll man nicht streiten, über Geschmackskombinationen finde ich schon. Denn die Teebeutelvergesser mit der Monofil-Kanne, die gut aussieht, aber immer tropft, haben eins gemeinsam: Sie sind entscheidungsschwach. Jeder Teetrinker hat mehrere Tees im Schrank. Ein Kaffeetrinker immer nur einen Kaffee. Den gibt es morgens, mittags und abends – ohne Diskussion. Tee dagegen ist schon vor dem Aufbrühen untrennbar mit dem Flair von Gruppengespräch und sozialen Fragen umgeben.

Die Entscheidung ist ja exorbitant schwerer geworden, seit man mit den Pflanzenresten nicht nur in speziellen Teeläden, sondern auch bei jedem Drogeriediscounter bombardiert wird. Die Marketingabteilungen überbieten sich in Versprechungen, welche Seelenzustände da zum Aufbrühen bereitstehen, Instant-Glückseligkeit!

Was macht glücklich? Bewegung. Also gibt es «Fitness-Tee»! Kein Tee kann dich fit machen. Tee kann nicht laufen. Nur ziehen! Tee macht nur dann fit, wenn du im fünften Stock in einem Haus ohne Aufzug wohnst und sich die einzige Toilette draußen übern Hof befindet. Aber das schafft dann auch Kaffee!

Auf der Schachtel von «Momente der Sehnsucht» steht wörtlich: «Nichts ist so verführerisch wie das, was unerreichbar scheint. Sie werden diese Stimmung lieben, und sie ist jederzeit erreichbar.» Meine Sehnsucht wäre schon gestillt, diesen Werbetexter mal so richtig mit seinen eigenen klammerfreien Teebeuteln zu pudern und ihn dann mit einer ganzen Kanne Glückstee zu beglücken – direkt über die Hose.

Apropos – «Glückstee» ist ja wohl das Schlimmste! Es geht dir schlecht, du nimmst vorsichtshalber extra mal drei Beutel auf eine Tasse und hockst dann da. Nichts passiert. Noch ein Schluck. Immer noch nicht glücklich. Du denkst: «Der Tee muss kaputt sein. Den bring ich zurück, so was lass ich mir nicht bieten. Wo zur Hölle ist jetzt dieser Kassenbon für die Reklamation?» Schnell bist du auf hundertachtzig – gerade durch den Glückstee.

Was macht noch glücklich? Achtsamkeit und Stille. Also: «Momente der Ruhe»-Tee kaufen. Ach ja, wir erinnern uns, wie laut Tee früher war! Kleiner Tipp: Für wahre Momente der Ruhe reichen zwei günstige Teebeutel von Aldi: nass machen und direkt in die Ohren stecken. Da haste eine Ruhe – himmlisch.

Wirklich glücklich macht nur der Tee in Jugendherbergen. Ein ehrliches Getränk, Schluck für Schluck. Sein Geheimnis ist natürlich, dass man sich den Tag über angestrengt hat, sei es bei einer Wanderung oder einer Radtour. Die Überwindung des inneren Schweinehunds macht den Tee am Abend zu einem köstlichen Getränk. Ich habe versucht, die Beutel für Jugendherbergstee irgendwo zu kaufen – keine Chance. Ich hab einen Jugendherbergsvater bekniet, bis er mir verriet, was wirklich unter uns bleiben muss: Du brauchst für die Zubereitung von Jugendherbergstee gar keine Teebeutel. Du brauchst auch gar keinen Tee. Das Geheimnis liegt in der Kanne! Die Kanne ist der Heilige Gral der Jugendherberge und wird über Jahrzehnte und Generationen weitergegeben und nur sehr vorsichtig und immer nur von außen gereinigt. Dadurch bildet sich im Inneren etwas, was der Archäologe «Teestein der Weisen» nennt. Heißes Wasser rein, und zack! verwandelt sich der Inhalt in Jugendherbergstee. Chemisch zwar kaum von Wasser zu unterscheiden, aber «an den Früchten sollt ihr sie erkennen»! Die Wirkung dieses Tees ist unglaublich. Ein Schluck, und du gehst freiwillig um 22 Uhr ins Bett. Welches Getränk schafft das schon?

Jugendherbergstee ist für mich die Quintessenz wahren Glücks. Er enttäuscht uns nie. Du erwartest nichts – und genau das bekommst du!

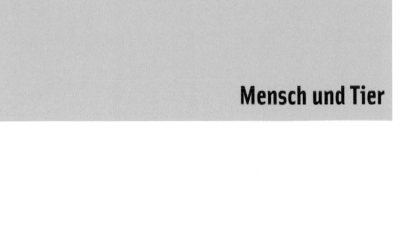

Mensch und Tier

Schnecken – Liebesspiele auf Zeit

Wer hat das ausdauerndste Liebesleben auf diesem Planeten? Wer macht das Rennen? Die Weinbergschnecke! Der Akt dauert beim Schimpansen, unseren nächsten Verwandten, drei Minuten, beim Mensch – ach, lassen wir das, ich will keine Enttäuschungen provozieren, Sie wissen es ja selbst.

Bei der Weinbergschnecke gibt es indes 180 Minuten puren Sex.

Nachdem ich das unter «Vermischtes» irgendwo gelesen hatte, versuchte ich es gleich wieder zu vergessen. Aber es gelang mir nicht. Die Schnecke hatte sich in meinen Hinterkopf – eingeschleimt. Im Lexikon las ich dann, dass Schnecken Zwitter sind, also männliche und weibliche Teile in sich haben. Warum macht die Natur so etwas? Die ist doch sonst nicht verschwenderisch!

Der Grund liegt auf der Hand: Wenn eine Schnecke auf ihrem langsamen Weg durch ihr kurzes Leben vielleicht nur einmal auf eine andere Schnecke trifft, muss es passen. Punkt. Die Natur kann es sich nicht leisten, dass dann erst darüber diskutiert wird: «Ich bin mir nicht ganz sicher, ob wir wirklich gut zueinanderpassen, ich steh eigentlich nur auf Frauen, und um ehrlich zu sein, bin ich auch über meine letzte Schnecke noch nicht hinweg. Du kannst dich ja mal melden, ich lass dir ein bisschen von meiner Schleimspur da.» Wären Schnecken so kompliziert wie wir – die wären längst ausgestorben. Aber so: Eine Schnecke trifft eine andere, und los geht's. Die können sich sogar noch aussuchen, wie sie es gerne hätten. Auf jeden Fall mit viel Geduld und Spucke. Und viel Fühler. 180 Minuten lang.

Jetzt ist mir auch klar, warum die Schnecken, wenn ich sie allein treffe, nur noch ganz langsam kriechen können. Schaut man allerdings genau hin, kann man auf ihren Gesichtern ein feines Lächeln erahnen.

Milben – Warum ich mein Bett nicht mehr mache

In und auf unseren Körpern leben mehr Bakterien, als wir Körperzellen haben. Wir sind ein wandelndes Biotop – und schämen uns dafür. Dabei verdanken wir der Besiedlung mit Parasiten die Triebfeder der Evolution schlechthin: die geschlechtliche Fortpflanzung. Nur weil wir uns ständig neue Tricks im ewigen Wettlauf Mensch gegen Mikrobe einfallen lassen mussten, entstanden die zwei Geschlechter. Denn im Gegensatz zur einfachen Zellteilung werden beim Zusammenmischen zweier Genpools die Möglichkeiten des Abwehrsystems optimiert, Erreger mit neuen Kombinationen in Schach zu halten.

Ohne geschlechtliche Fortpflanzung und den Druck, sich durch besondere Kunstfertigkeiten zu profilieren, gäbe es auch keine Literatur und keine Kunst. So gesehen ist dieses Buch, genau wie Sie und ich, indirekt das Produkt von Parasiten. Sie sind in doppelter Hinsicht Lebenskünstler. Aber was gönnen wir ihnen? Nicht sehr viel. Die Hausstaubmilbe zum Beispiel, einer unserer unsichtbaren Bewohner, muss sich recht bescheiden von dem ernähren, was unser Körper ihr an Krumen vom Tisch zuwirft, präziser gesagt, an Hautschuppen. Das, was sie daraus macht, nachdem sie die verspeist hat, löst bei vielen Menschen Allergien aus, insbesondere Asthma. Seltsamer Kreislauf der Natur!

Doch wir tun durch unsere penible Ordnung alles, um ihn am Leben zu erhalten – zum Beispiel, indem wir unsere Betten machen. Dabei haben englische Forscher unlängst herausgefunden, dass die Hausstaubmilbe recht empfindlich auf Kälte und Zugluft reagiert. Alles, was es morgens braucht, wenn wir aufstehen, wäre, die Bettdecke schön unordentlich verknuddelt liegen zu lassen. So kühlt die Matratze aus, und der Milbe ist der Morgen so richtig versaut. Sie vergisst darüber das Fressen und Verdauen und Vermehren.

Vor 3 Jahren habe ich mit Rauchen aufgehört...

Vor ca. 2 Jahren habe ich mit Trinken aufgehört...

Vor gut einem Jahr habe ich aufgehört, Fleisch zu essen...

und mit Sex habe ich aufgehört, seit meine Frau ausgezogen ist.

Jetzt weiß ich echt nicht mehr weiter...

Womit könnte ich denn noch aufhören?

Eines der erstaunlichsten Ergebnisse der deutschen Gesundheitsforschung war, dass es im Osten vor der Wiedervereinigung weniger Allergien gab als im Westen. Der Grund: die Lebensbedingungen der Milben. Im Osten gab es nicht so viele Vorhänge, Teppiche und zugarm abgedichteten Wohnraum. Die Milbe machte rüber und brachte den verwöhnten Westkindern das Asthma. Die Bitterfelder Abgase reizten zwar die jungen Bronchien, aber so richtig holten die Ostkinder asthmatechnisch erst auf, als die Mauer fiel und mit dem westlichen Plüsch auch die Landschaften in den Matratzen wieder anfingen zu blühen. Dafür verschwanden die Wanzen aus den Wohnungen.

Dennoch: Vor dem Kreuchen und Fleuchen gibt es kein Entfleuchen. Wir sind besiedelt, na und? Wer hat das Problem? Ein nachdenklicher Witz für die Zeit bis zum Umblättern: Treffen sich zwei Planeten. Sagt der eine: «Du siehst aber schlecht aus!» Antwortet der andere: «Ich hab mir Homo sapiens eingefangen.» Sagt der erste: «Keine Angst, das geht von allein vorbei!»

Der Mensch ist nicht gern allein. Dieses Jahr hab ich endlich ein Haustier gefunden, das wirklich zu mir und meinem Lebensstil passt: *Drosophila melanogaster*. Ja, ich lebe mit Fruchtfliegen zusammen, und ich muss sagen: Ich habe diese Tiere als Mitglieder meiner Hausgemeinschaft richtig lieb gewonnen. Sie bieten alle Vorteile eines Hundes, sind aber zum Glück nicht so anspruchsvoll. Das aufwendige Gassigehen entfällt zum Beispiel, weil sie aus der Küche einmal den Flur auf und ab fliegen und so selbst für Bewegung sorgen. Ebenfalls sehr angenehm: Sie fordern kein teures Spezialfutter. Meine Drosies essen, was auf den Tisch kommt. Oder auf den Boden. Und sie sind stubenrein! Okay, nicht wirklich. Sie machen überallhin, allerdings mit einem großen Vorteil: Man sieht es nicht.

Last, but not least: Fliegen sind steuerfrei, selbst in großer Anzahl. Nun lebe ich nicht mit den Drosies zusammen, weil sie so preisgünstig sind, mir geht es vor allem um das Emotionale, das diese Tiere dem Menschen zu geben haben. Da reicht kein Hund ran, geschweige denn eine Katze. Mal ehrlich, sei einmal nett zu einem Hund, und er erinnert sich ein Leben daran. Bei der Katze ist es genau umgekehrt, sei ein Leben lang nett zu ihr, im nächsten Moment hat sie es schon wieder vergessen. Aber bei den Drosies – das ist Liebe über Generationen hinweg.

Wenn ich nach einer anstrengenden Woche auf Reisen nach Hause komme, dreh ich den Schlüssel um, mach die Tür nur einen kleinen Spalt auf – da kommen die mir schon entgegen. Begrüßen mich mit «*Give me five!*» und wedeln mit den kleinen Flügelchen. Sollte ich mal nichts eingekauft haben, sind sie nicht etwa beleidigt. Nein, im Gegenteil. Meine Drosies zeigen mir dann wie selbstverständlich, wo es in der Wohnung noch etwas Essbares gibt! Der Mensch ist dem

Menschen ein Wolf. Aber Fruchtfliegen, die können keiner Fliege was zuleide tun. Ich glaube, die sind so gut drauf, weil sie sich so gesund ernähren. Viel Obst, viele Vitamine.

Drosies machen sich einfach nicht so viel Stress und genießen ihren Tag. Sie leben nach dem Motto: Heute ist der letzte Tag vom Rest deines Lebens. Eine einzige Party – klar, bei Fruchtfliegen hat immer eine Geburtstag.

Neulich komme ich nach Hause, keiner begrüßt mich. Ich denk: «Nanu? Was sind das für Geräusche?» Da saßen alle meine Drosies im Wohnzimmer auf dem Teppich und guckten fern – ich hatte die Glotze angelassen. Wobei die von unserem Fernsehprogramm eigentlich komplett unterfordert sein müssten: Drosies haben ja Facettenaugen, könnten also 32 Programme gleichzeitig schauen. Sie sind damit wohl die einzigen Lebewesen, für die ein Premiere-Decoder wirklich Sinn machen würde!

Zugegeben: Manchmal ist es auch nicht leicht mit denen. Letzte Woche hatte ich abends gemütlich eine schöne Flasche Rotwein aufgemacht. Ich suchte noch Knabberzeug – da machen die sich über die Flasche her. Hey, ein 96er Rioja! Den trinkt man doch nicht aus der Flasche! Für mich war der Abend gelaufen. Da habe ich das offene Gespräch gesucht: «Eure totale Konsumhaltung, die geht mir echt gegen den Strich. In der ganzen Zeit, die ihr jetzt schon hier wohnt, habt ihr nicht einmal abgewaschen. Oder den Müll runtergebracht. Ihr denkt nur an euch!» Ich ging zum Fenster und machte es auf: «Bitte, ihr könnt ja fliegen.» Ich war so sauer, ich hab angefangen zu putzen, was die Drosies verständlicherweise sehr irritierte. So hatten sie mich noch nie gesehen. Ich bin also am Staubsaugen, da kommt eine rüber, will mir was zeigen, fliegt zu tief, gerät in den Sog und … was soll ich sagen.

Ich habe in Bruchteilen von Sekunden reagiert. Ich riss das Rohr vom Staubsauger ab – nichts, nahm den Motor auseinander – nichts. Im Staubsaugerbeutel hab ich sie dann gefunden, es kam mir wie eine Ewigkeit vor. Zu spät. Klinisch tot. Zum Glück kenn ich mich ja aus.

Also gleich Herzmassage und mit Strohhalm beatmet. Sie kam zurück! So mag ich sie: kein großes Theater – kurz geschüttelt und dann gleich zu den anderen geflogen. Was sie denen wohl erzählt hat?

«Wisst ihr, ich hab es erlebt! Ich spürte, das Ende war da, plötzlich ein langer Tunnel, am Ende ein strahlendes Licht und dann – dann wusste ich, es geht weiter. Und wenn ich es nicht mit meinen eigenen 64 Augen gesehen hätte ...»

Drosies sind uns ja viel ähnlicher, als wir immer denken. Die Forschung hat gezeigt, dass sie über 50 Prozent ihrer Erbsubstanz mit uns Menschen gemeinsam haben. Das muss man sich mal vorstellen: Über die Hälfte der Gene sind gleich! Das heißt: zwei Fruchtfliegen ...

Affenporno – Was guckst du?

Menschen gucken gerne Bilder an. Affen auch. Menschen zahlen sogar dafür, sich Fotos anzuschauen. Affen auch! Das konnte eine Studie in der renommierten Zeitschrift «Current Biology» jetzt beweisen, erschienen unter dem vielversprechenden Titel *Monkeys pay per view: adaptive valuation of social images by rhesus macaques*. Zu Deutsch: Rhesusaffen zahlen, um sich Fotos anzusehen, die sozial relevant sind. Womit sie zahlen? Bisher haben sich Affen ja nicht gerade durch eine gemeinsame Währung hervorgetan. Die Forscher erschufen eine: süßen Saft. Die Affen hatten die Wahl, ein volles Glas Saft zu bekommen oder bewusst auf einen Teil des Saftes zu verzichten und dafür im Tausch Fotos anzugucken. Es zeigte sich, dass sie am liebsten Fotos von Affen ansahen, die höher in der Hierarchie standen als sie – Ranghöhere anzuschauen ist offenbar ein Grundbedürfnis. Für ein Bild vom Chef opferten die Tiere Saft. Zu wissen, wo man auf der Karriereleiter innerhalb der Horde gerade steht, entscheidet darüber, was man sich in der Truppe erlauben darf. Die technische Revolution hat damit ihren Weg in die Tierwelt gefunden: Bisher mussten die Tiere ihren Rang noch körperlich verteidigen. Wenn wir ihnen aber beibringen, wie man Polaroids macht, wird es auch bald im Käfig heißen: meine Hütte, meine Liane, meine Kokosnuss.

Die Studie zeigt noch weitere allzu menschliche Parallelen: Den Affen wurden auch total langweilige Fotos gezeigt, auf denen eine simple graue Fläche abgebildet war. Erwartungsgemäß wollten sie dafür nicht mit ihrem leckeren Saft bezahlen. Noch weiter unter ihrem Niveau waren allerdings Fotos von Affen, die ganz unten in der Rangordnung standen. Die Zuschauer mussten regelrecht mit Saft bestochen werden, damit sie sich überhaupt mit den «Loser»-Bildern beschäftigten. Ist das nicht eine faszinierende Idee für einen Diaabend bei sogenannten Freunden? Die ersten zehn Bilder schaut man umsonst, für jedes weitere Dia wird Schmerzensgeld fällig.

Doch zurück zur Studie. Jetzt kannten die Forscher den Marktwert in Saft von Chefs, Losern und grauer Fläche. Aber wofür würden die Affen noch Saft ausgeben? Nur für Gesichter? Im Dienste der Wissenschaft wurden den Tieren jetzt Fotos von Affendamen gezeigt. Und zwar keine Porträtaufnahmen ihrer Gesichter, sondern Detailaufnahmen ihrer rot leuchtenden Popos. Und tatsächlich, Betrachtungszeit und Saftpauschale stiegen ins Unermessliche: Das Interesse an einem Blick aus der Fortpflanzungsperspektive war bei den Affen praktisch unerschöpflich. Dabei waren die Models noch nicht mal rasiert! Die Forscher kommentieren nüchtern: «Individuen schätzen Information, die ihre Entscheidungen im Sozialgefüge erleichtern. Für Dominanz und Fortpflanzungsbereitschaft sind Affen bereit, Zeit und Geld zu investieren.»

Mit dieser evolutionären Erkenntnis erschließt sich einem das Angebot am Zeitschriftenkiosk völlig neu. Auch bei den Homo sapiens verkaufen sich die Ranghöheren gut: auf allen Covern nur Promis, Politiker und Popstars. Für Obdachlosenzeitungen geben die Leute deutlich seltener Geld aus. Und den grauen Flächen im Experiment entsprechen wohl am ehesten Verbraucherzeitschriften. Sobald aber Promis mit Popos gemischt werden, steigt der Preis – für Boys und Mates bis zu acht Euro. Je mehr Details und je weniger Text, desto sprunghafter der Anstieg – von den Kosten der eingeschweißten Luxusmagazine mit DVD-Beilage und klaren Aufforderungen zur Arterhaltung ganz zu schweigen.

Die entsprechenden Preise bei den Makaken waren: Chefs: 2 Saft-Einheiten. Popos: 16 Einheiten. Könnte es sein, dass die Preise am Kiosk gar nichts mit Angebot und Nachfrage zu tun haben, sondern bereits seit 150 000 Jahren Evolution feststehen?

Gesundheit

Anti-Aging – Fangt die Radikale!

Haben Sie noch Angst vor Radikalen? Die Radikalen, die vor dreißig Jahren beim Deutschen Herbst auf die Barrikaden gingen, sind inzwischen schon bald im Rentenalter; der deutsche Terrorismus ist outgesourct und globalisiert. Heute rennt keiner mehr der Außerparlamentarischen Opposition, der APO, hinterher. Vielmehr rennen die Radikalen von damals in die Apotheke – um Radikale zu fangen. Heute ist keiner mehr links, selbst die Milchsäuren sind auf rechts gedreht. Der ideologische Feind der Deutschen muss nicht mehr inhaftiert werden, er sitzt schon in der Zelle, in jeder Zelle des Körpers, wo ständig neue freie Radikale entstehen.

Vor denen haben wir Angst. Es sind viele! 10 000 jeden Tag. Aggressive Molekülteile, die alles zerstören, was ihnen in die Bindungsärmchen gerät. Das grausame Resultat: Die Zelle altert. Und wir mit ihr. Verdammt, wenn wir nicht gleich etwas unternehmen, dann altern wir noch weiter! Tod den Radikalen!

Die nüchterne Wahrheit ist, dass Radikale zum Stoffwechsel unvermeidlich dazugehören. Man kann außerdem den fiesesten Radikalbildnern, als da sind Zigaretten, Sonne und Grillfleisch, relativ leicht aus dem Weg gehen. Aber das will keiner hören. Im Gegenteil, es werden schwere Geschütze aufgefahren, Martialisches wie Q10, höchstdosierte Mineralstoffe, «frisches Obst» und Gemüse in Tabletten-Briketts. Wer gegen Anti-Aging ist, macht sich verdächtig, der soll doch lieber gleich rübergehen über den Jordan.

Da werden Milliarden ausgegeben für selbsternannte Zellpolizisten, die im Hormonsystem Hausfriedensbruch begehen dürfen, Eingreiftruppen dubioser Herkunft und Wirkung, egal – die tickende biologische Uhr muss zum Schweigen gebracht werden.

Was damit langfristig tatsächlich medizinisch angerichtet wird, kann kein seriöser Wissenschaftler sagen. Unter uns: Das Blödeste, das mit Anti-Aging passieren könnte, wäre, dass es wirklich funktioniert! Denn viele dieser Substanzen kommen nie ins Gehirn: Der Körper wird zwar immer jünger, aber der Geist unwiderruflich älter. Irgendwann hast du dann Alzheimer, aber just in diesem Moment kommt dein Körper wieder in die Pubertät. Plötzlich «kannst» du wieder – weißt aber nicht mehr, warum! Das wünsche ich keinem!

Die demographische Entwicklung ist nun mal nicht aufzuhalten. Die Leute werden immer älter. Einerseits prima. Andererseits nicht zu finanzieren. Die höhere Lebenserwartung bringt unser ganzes schönes Sozialgefüge durcheinander. Arbeiten bis 67. Aber was heißt schon 67? Es gibt junge Alte und alte Junge. Viele könnten noch viel länger als 67 arbeiten, und einige 40-Jährige sehen so aus, als hätten sie bereits 67 Jahre malocht.

Kleiner Test für den liierten Leser: Sie sind alt, wenn Ihr Schatz sagt: «Los, lass uns die Treppe ins Schlafzimmer hochgehen und Liebe machen», und Sie antworten: «Entscheide dich bitte. Beides geht nicht.»

Und für den alleinstehenden Leser: Sie sind alt, wenn Sie sich bücken, um die Schuhe zuzubinden, und dabei überlegen, was Sie noch erledigen könnten, wo Sie schon mal da unten sind …

Der Körper altert ja an unterschiedlichen Stellen unterschiedlich schnell. Was ist dann wohl das wahre Rentenalter für die Frau? Neulich fragte ich eine Dame im Vertrauen: «Sind Sie schon 50?» Sie antwortete: «Teilweise.»

Moderne Frauen haben dank der plastischen Chirurgie mehrere Zeitzonen am Körper. Pamela Anderson zum Beispiel. Wenn sie mit 67 in Rente gehen will, hat ihr Busen streng genommen noch zwanzig Arbeitsjahre vor sich. Da wird's auf dem Arbeitsmarkt aber so eng wie einst in ihrem BH: Wer beschäftigt schon alleinstehende Brüste, und wenn sie noch so viel Berufserfahrung haben?

Im Ernst: Wer das Alter nicht ehrt, handelt nicht zukunftsorientiert. Gäbe es den Tod nicht – man müsste ihn erfinden! Ein ewiges Leben

wäre zum Sterben langweilig: Ohne irgendein Ende gäbe es keinen Anfang und keine Mitte, gäbe es keinen Rhythmus, keine Melodie, kein Motiv, weder Durchführung noch Finale. Ohne Tod wird der Sensenmann zahnlos. Dabei brauchen wir den Zahn der Zeit, der an uns nagt, mal fies an den Gelenken, aber wenn wir hinhören, auch mal liebevoll am Ohrläppchen. In jedem schlechten Hollywood-Film besteht die dramatische Wendung darin, dass der Sympathieträger plötzlich und unerwartet erfährt, dass er nur noch eine begrenzte Zeit zu leben hat. Mal ganz ehrlich: Das gilt für uns alle!

Das Radikalste, was wir fangen können, sind keine Zellbestandteile, sondern dieser Tag, dieser Moment. Nicht in der Apotheke, sondern im Leben. Nicht anti, sondern pro. Pro hier. Und pro jetzt. Vom Radikalenfänger-Fresser zum bewussten Genießer zu werden, lauter unendliche Momente voller Vergänglichkeit. Das wäre heute wirklich radikal.

Ein wohlmeinender Freund riet mir neulich: Eckart, entspann dich mal, geh in die Sauna. Das hätte ich besser nicht tun sollen. Denn es gibt wenig Orte, an denen Menschen so unentspannt sind wie in der Sauna. Können Sie sich etwa in der Sauna entspannen?

Ich frag mich zuerst immer: Kennst du wen? Aber noch schlimmer ist ja die Frage: Willst du wen kennenlernen? Denn wie spricht man jemanden an, nackt? Die unverfänglichste Flirtfrage verfängt nicht in der Sauna: «Haste mal Feuer?»

Deshalb phantasiert jeder heimlich vor sich hin: Wie der oder die wohl angezogen aussieht ...?

Sauna ist eine seltsame Mischung von Neandertal und Laubenkolonie. Wo jeder Mensch im Urzustand zwar nicht auf den Bäumen hockt, aber immerhin auf beheizten Brettern, nackt. Aber dennoch kein Ort der Freizügigkeit, sondern der äußersten Beklemmung. Die Art, wie jeder sein Handtuch ausbreitet, hat etwas von Schrebergarten auf Zeit. Mein Handtuch – mein Revier. Und anfangs macht jeder ein finsteres Gesicht, was bei der schummrigen Beleuchtung noch finsterer wirkt. Und seien wir ehrlich: Es gibt Leute, die sehen angezogen besser aus als nackt. Das sind ungefähr 98 Prozent der Weltbevölkerung. Davon leben die anderen zwei Prozent sehr gut. Aber die triffst du nie in der Sauna.

Was ich mal wissen will: Bei der gemischten Sauna – wer mischt da eigentlich? Es sind immer zu viele unattraktive Männer da. Ich nehme mich da nicht aus.

In der Sauna sind viele Männer, die sich sagen: Warum soll ich zehn Euro für den «Playboy» bezahlen, wenn ich in der Sauna für das gleiche Geld nackte Frauen live sehen kann. Leider denken die halbwegs attraktiven Frauen genauso: Wenn ich mich von alten Säcken begaffen lasse, dann für zehntausend Euro im «Playboy», aber nicht für zehn Euro in der Sauna. Blöd dran sind Spanner mit Brille. Die Gläser beschlagen, die Gestelle glühen, und so manchem musste der eingeschmolzene Kunststoffbügel schon operativ von der Nase entfernt werden.

Besonders blöd dran sind aber Menschen mit irritablem Kolon, denn es ist äußerst gefährlich, in der Sauna zu pupsen. Allein schon wegen der Explosionsgefahr. Leute mit Blähungen gehen deshalb auch nicht in die Sauna, sondern in den Whirlpool. Wenn der also leicht nach Schwefel riecht, ist das nicht immer ein Zeichen für eine Heilquelle! Ich meide diese Dinger konsequent. Die reinste Bakterienzucht.

Sauna hat auch was von Religion: die zivilisierte Form der schamanischen Schwitzhütte. Hier kannst du alles Böse ausschwitzen. Sauna ist Fegefeuer und verlorenes Paradies in einem. Die Hölle im Adam-und-Eva-Kostüm. Der Kaltwasserschlauch ist die Schlange, und den Apfel gibt es nach dem Aufguss. Das mit den Apfelstückchen hat doch wirklich etwas von einer Abendmahlszeremonie! «Und als der Aufguss vorüber war, nahm der Meister das Obst, dankte, brach es und sprach: Jeder nur ein Stück und das Duschen nicht vergessen.»

Du triffst Triefende, die mit überzogenen Erwartungen kommen, seit sie beobachtet haben, dass in der Bratpfanne Fett bei 60 Grad Celsius ganz einfach verschwindet. Sie hocken hoffnungsvoll vor sich hin und denken mit Blick aufs Thermometer: Verdammt, jetzt sind das schon 90 Grad Celsius, wann geht's denn nun los? Dabei lehrt uns die Physik, dass niemand durch Hitze abnimmt, im Gegenteil: Bei Wärme dehnt sich alles aus. In der Sauna siehst du Menschen ungeschminkt, so wie Gott sie schuf und wie McDonald's sie formte.

Das Einzige, was in der Hitze schrumpft, ist das Hirn. Sauna macht so angenehm dumm. In der ersten Minute denkst du noch: Ach ja, jetzt haste mal Zeit, in Ruhe nachzudenken …

In der zweiten Minute nur noch: Boah – ist das heiß hier.

In der dritten Minute: Boah – ist das heiß hier.

In der vierten Minute: Boah – ist das … Mensch, das hab ich doch schon mal gedacht, oder?

Sauna macht debil. Anders ist es auch nicht zu erklären, dass jemand, der nichts weiter macht, als Wasser zu verschütten und dann mit einem Handtuch zu wedeln, spontan von allen Applaus bekommt. Was wir denken, hat viel mit Temperatur zu tun. Hätte Königsberg am Äquator gelegen, Kant hätte seine Kritik der reinen Vernunft auf drei Seiten zusammengefasst. Und der kategorische Imperativ würde lauten: MAÑANA! Hitze macht gleichgültig. Nach fünf Minuten gilt der erste Hauptsatz der mentalen Thermodynamik: Aktueller IQ ist gleich Ausgangswert minus Raumtemperatur. Praktischer Tipp: Wer mit einem IQ unter 100 ausgestattet ist, sollte besser ins Dampfbad gehen. Aber das ist ja das Tolle an der Sauna, es geht hier endlich einmal nicht ums Schlausein, hier hat jeder die gleichen Aufstiegschancen. Draußen gilt eine Vielzahl verwirrender Gesetze, drinnen nur eins: kein Schweiß aufs Holz. Sauna ist so wunderbar basisdemokratisch und mit steigender Temperatur gar sozialistisch: Wildfremde Menschen aller Klassen, denen du draußen nie freiwillig die Hand geschüttelt hättest, sitzen dir plötzlich wie selbstverständlich nackt und tropfend fast auf dem Schoß. Mit fortschreitender Hitze schmilzt alles Territorialverhalten dahin. Der Schweiß schweißt alle zu einer amorphen Masse zusammen. Zum Aufguss rückt man dann ein letztes Mal noch enger zusammen. Und plötzlich weißt du, warum dieser Ort so heißt: sau-nah.

Tattoos – Das geht auf keine Kuhhaut

Die moderne deutsche Frau trägt ihre Haut gern bedeckt. Mit Tattoos. Wenn der Sommer naht, lugen wieder ganze Schwärme von Delphinen über Schulterblätter, in jeder Couleur. Aus dem Wunsch nach etwas Besonderem ist so sehr Massenkultur geworden, dass, wer heute wirklich mittels Tattoo aus der Masse heraus-stechen will, dazu schon etwas wirklich Ausgefallenes brauchte: ein Kreuzworträtsel auf dem Kreuzbein etwa oder ein Fragezeichen auf der Stirn.

Einst waren Tattoos das Privileg rauer Seefahrer, heute lassen sich Mädchen in einem Alter bekritzeln, in dem sie selbst noch ein unbeschriebenes Blatt sind. Da kann die Mutter noch so lange warnen, dass auch die 15-Jährige einmal Mutter werden könnte, mit allen Folgen für Sozialstatus und Bindegewebe.

Dann doch lieber Piercing, denn Piercings kann man wieder entfernen, aber Tattoos? Permanent verunstalten lassen für ein flüchtiges Lebensgefühl? Keins dieser Girlies käme doch auf die Idee, seine Zimmerwand statt mit einem Poster, was man beizeiten wieder abhängen kann, gleich in Freskentechnik für die Ewigkeit zu «verschönern». Bei der Haut ist man hingegen nicht so wählerisch, selbst wenn man nicht weiß, ob Tokio Hotel in der nächsten Saison noch angesagt ist. Tattoo-Stechen ist wie Kinderkriegen: Die Herstellung erfolgt oft spontan, aber dann hat man sie ein Leben lang!

Schüchterne wählen für ihr Tattoo die sogenannte Bikinizone, die je nach dem Flächenverhältnis von Stoff und Haut sehr unterschiedlich breit ausfallen kann. Ist der Delphin, um schamhaft den Schambereich zu vermeiden, nach oben gerutscht, sieht er sich den Gezeiten des Bauchfetts unterworfen, und da ist mit fortschreitendem Alter immer seltener Ebbe. Sollte eine Schwangerschaft erschwerend hinzugekommen sein, wird aus dem delikaten Delphin ein gestrandeter Wal.

Konrad ahnte nicht, dass er mit seinem Geburtstags-Geschenk an der Schwelle zur größten Ehekrise seines Lebens stand.

Deshalb wählen noch vorsichtigere Frauen die Knöchelregion. Als Arzt muss ich warnen, dass auch diese zu dramatischen Veränderungen ihrer Form fähig ist: Wer weiß, ob die Schmetterlings-Lady von heute sich nicht in dreißig Jahren als Kassiererin die Beine in den Bauch und das Wasser in die Beine steht? Da könnten die zarten Schmetterlingsflügel aufs äußerste gespannt werden. Wenn es überhaupt ein Schmetterling war. Für mich haben Knöchel-Tattoos immer den Beigeschmack des Kleingedruckten. Da unten steht irgendwas. Aber was? In welcher Position soll man, ohne den Anstand zu verlieren, so nah an die Zeichnung herankommen, dass man ihre Botschaft würdigen kann? Unauffällig beim Schuhzubinden? Muss man nicht alle Tattoos eines Menschen im Zusammenhang sehen? Sind Knöchel-Tattoos am Ende ein Versprechen, dass es irgendwo weitergeht? Eine buchstäbliche Fußnote, und der eigentliche Text steht auf einem anderen Schulterblatt?

Da lobe ich mir doch die Männer. Unvergessen ein Patient in England, der wohl schon ahnte, dass seine Beziehungen nicht von Dauer sein würden. Statt sich auf dem Unterarm auf einen Namen festzulegen, ließ er sich Folgendes stechen: «Ich lebe und sterbe für alle, die ich liebe!» Ich stelle mir immer vor, wie er nachts in der Kneipe den Ärmel hochkrempelt und versucht, dem Objekt seiner Begierde verständlich zu machen: Das hab ich nur für dich getan!

Neulich lernte ich jemanden kennen, der mir offenbarte: «Wenn man einmal mit dem Tattoostechen angefangen hat, hört man nicht wieder auf.» Aus verschiedenen Epochen seiner ästhetischen und finanziellen Entwicklung demonstrierte er mir Engel, Teufel und Tribal als Zeichen einer nicht weiter definierten keltischen Stammeszugehörigkeit. Er fragte mich, ob ich eine Idee für sein Rückentattoo hätte. Ich schlug ihm vor, sich quer über den Rücken schreiben zu lassen: «Hier könnte Ihre Werbung stehen!» Ich fand die Idee lustig, war damit aber komischerweise allein.

Im Ernst, wirklich verstehen werde ich diesen Kult wohl nie. Ich kaufe mir lieber Aktien von Firmen, mit deren Lasern man Tattoos entfernen kann. Denn ich wette, irgendwann werden sowohl die spät-pubertierenden Rebellinnen als auch die harten Jungs entdecken, was sie heute nicht zu schätzen wissen: die Schönheit reiner Haut.

Krankheit

Praxisgebühr – Halber Eintritt für Hypochonder

Gleich mache ich mich unbeliebt. Achtung – jetzt: Ich finde die Idee mit der Praxisgebühr gar nicht so falsch. Punkt. Jetzt ist es raus. Steinigen Sie mich. Aber mal ehrlich: Würden Sie dieses Buch lesen, wenn es umsonst gewesen wäre? Na also, was nichts kostet, ist auch nichts. Im Kern ist die Gebühr richtig, nur bei der Umsetzung gibt es noch viele «handwerkliche Fehler». Die Schlagzeile «Auch Tote zahlen Praxisgebühr» sorgte zu Recht für Unmut. Ulla Schmidt ließ auch keine drei Wochen später klarstellen: Tote zahlen nur im ersten Quartal, und wenn es chronisch wird, dann nicht mehr als zwei Prozent ihrer Lebensversicherung.

Seit ich vor über zehn Jahren von der Klinik zum Kabarett umgestiegen bin, habe ich sehr gute Erfahrungen damit gemacht, Eintritt zu nehmen. Die Klientel sortiert sich, und die Erfahrung ist durchaus übertragbar: Auch Arztpraxen sind Teil der Unterhaltungsindustrie. Warum gehen Leute zum Arzt? Damit sie herausbekommen, was ihnen fehlt? Quatsch. Das wissen die doch schon. Es wäre ja auch sehr erstaunlich, wenn jemand, der Sie erst drei Minuten kennt, besser über Sie Bescheid weiß als Sie selbst. Deshalb erwartet das auch keiner von einem Arzt. Viele sind einsam, alt, und keiner interessiert sich mehr für ihren Körper – außer dem Arzt.

Wir haben schon als Kinder gelernt: Sobald du krank bist, kümmert sich jemand um dich. Und das fällt uns irgendwann wieder ein. Unser zutiefst menschliches Bedürfnis nach Nähe und Anerkennung wird mit einem kalten Stethoskop auf der Brust beantwortet, wir suchen Zärtlichkeit, und wenn es hochkommt, gibt es Saugnäpfe und ein EKG. Das ist herzlos und für beide Seiten unbefriedigend. Zudem sehr teuer, wenn man einmal bedenkt, wie viel Körperkontakt man sich mit den Gesundheits-Milliarden in anderen Teilen der Stadt leisten könnte …

Viele gehen doch zum Arzt, damit danach nicht der Arzt weiß, was sie haben, sondern alle anderen Menschen im Wartezimmer. Geteiltes Leid ist halbes Leid. Und da gibt es viel zu teilen. Das Wartezimmer ist eine Art Selbsthilfegruppe, der inoffizielle Treffpunkt der AA, der Anonymen Ärztehopper. Weil der Zugang zu dieser Gruppe so einfach und kostenfrei für den Patienten war, sind die Deutschen Weltmeister geworden in Wartezimmern. Wir gehen vierzehnmal im Jahr zum Arzt, fünfmal so oft wie die Schweden. Warum nur nutzt man dieses Potenzial nicht therapeutisch und kosteneffizient?

Mein Vorschlag: Lasst uns von anderen Teilen der Unterhaltungsindustrie lernen. So wie der Montag und der Dienstag zum Kinotag ausgerufen wurden, deklarieren wir den Mittwoch kollektiv zum Arzttag. Mittwochnachmittags sind die Praxen doch eh zu. Es kostet kaum etwas, das Wartezimmer offen zu lassen. Dafür halber Eintritt. Statt zehn Euro muss man nur fünf zahlen, und als Kennlernangebot ist anfangs noch ein Getränkegutschein mit dabei. Die Patienten dürfen Röntgenbilder mitbringen und sich über Leidenswege, Fehlbehandlungen und Masseure mit kalten Händen austauschen. Alles, was man wirklich wissen will.

Gegen sechs schauen dann alle rollenden Auges auf die Uhr. Und einer spricht es aus: «Jetzt haben wir drei Stunden gewartet, das lassen wir uns nicht gefallen, wir gehen.» Mit dieser gemeinschaftsstiftenden Empörung zieht man um zum Italiener an der Ecke – und allen ist geholfen. Menschen tun anderen Menschen gut. Es muss kein Arzt sein, der einem nicht zuhört. Nach wie vor besteht eine der effektivsten Behandlungen von Alkoholkranken darin, sie mit anderen ehemaligen Alkoholikern zusammentreffen zu lassen. Nun gibt es nicht für alles Selbsthilfegruppen, aber ein Versuch ist es wert. Ich selbst habe manchmal Schwierigkeiten, anderen Menschen zu vertrauen. Sind jetzt alle so nett zu mir, weil ich nett bin oder weil die was von mir wollen? Wer weiß, was die hinter meinem Rücken so reden? Im Internet fand ich die Homepage der Anonymen Paranoiker. Ich hab gleich angerufen und gefragt, ob ich mal kommen könnte. «Ja gern»,

Zu wissen, dass er hohes Fieber hatte,

fand Hartmut schon schlimm genug,

aber nicht ablesen zu können, wieviel,

weil die Zahlen auf seinem Fieberthermometer...

So wahnwitzig klein waren,

Kam einem Martyrium gleich.

sagte der Mann am Telefon, «aber wir sagen dir nicht, wo wir uns treffen.»

Aber einen Versuch war es wert.

Schnupfen – Laufende Ermittlungen zur laufenden Nase

«Kind, zieh dir was an die Füße, du holst dir den Tod.» Darin sind sich alle Großmütter der Welt einig: Schnupfen ist die direkte Folge von kalten Füßen. Als ich im Medizinstudium etwas von Viren lernte, dachte ich insgeheim immer: Wie, bitte, gelangen diese kleinen Biester von den kalten Füßen bis in die Nase?

Heute weiß ich, dass kalte Füße nicht Ursache, sondern Folge der Ansteckung sind. Denn sobald die Viren den Körper befallen, kämpft der Kreislauf gegen sie an, die Füße werden schlechter durchblutet und kalt. Den historischen Beweis lieferten zwei Gruppen Studenten.

Die eine musste nasse Socken tragen, die andere nicht. Alle bekamen die gleiche Menge Erkältungsviren ins Gesicht gesprüht, und wer steckte sich an? Beide Gruppen gleich, die experimentell gekühlten Füße machten keinen Unterschied. Millionen Großmütter können irren.

Schnupfenviren sind wie Bill Gates und Dieter Bohlen: Auf Dauer kann man ihnen nicht entfliehen. Aber man kann gezielt den Kontakt verringern, sodass sie einen nicht krank machen. Unser Umgang mit Schnupfen ist sowieso komplett irrational. Abends sind wir krank und werden sauer auf denjenigen, der uns morgens in der U-Bahn angeniest hat. Hätte der nicht wirklich zu Hause bleiben können! Viren brauchen aber ein bisschen, bis sie uns spürbar krank machen. Die wenigsten Erkältungen bekommen wir durch die Luft, viel öfter stecken wir uns über die eigenen Hände an. Aber woher soll ich wissen, welche Schniefnase den Haltegriff in der U-Bahn vor mir angefasst hat? Dann verdamme ich doch lieber den Nieser, den kenn ich wenigstens. Hätte sich doch zumindest die Hand vor die Nase halten können! Schließlich lernt jedes Kind, dass Handvorhalten das Beste ist, was man tun kann. Ist es auch – aus Sicht der Viren. Denn die sind von

Natur aus unternehmungslustig und leben nur so lange, wie sie immer wieder jemanden neu infizieren können. Ist der Schnodder also von der Nase an der Hand, landet er in Windeseile auch überall dort, wo andere Menschen hinfassen. An der Türklinke, am Haltegriff, daheim an der Fernbedienung. Noch vornehmere Leute haben ja Stofftaschentücher. So wenig ich von Freuds Theorien halte, in Hinblick auf die anale Fixierung hatte er recht. Dieser Blick, mit dem ein erwachsener Mann nach minutenlangem Schnäuzen noch einmal wehmütig den Inhalt seines Stofftaschentuchs begutachtet, dieser Blick ist identisch mit dem Stolz eines Dreijährigen beim Blick zurück in die Schüssel. Bei den Großen kommt noch die Einsicht dazu: Okay – wir Männer können keine Kinder kriegen, aber das hier hab ich ganz allein hinbekommen!

Schließlich wird das Stofftaschentuch gefaltet – damit anschließend beide Hände infektiös sind. Dann ab damit in die warme Hosentasche. Frischer Rotz im Taschentuch bei Körpertemperatur – das ist für die Viren so eine Art Club Méditerranée. Schöner könnten sie es nicht haben.

Was hygienischer wäre? Auf den Boden zu schnäuzen. Die Viren finden da niemanden zum Anstecken, frieren und langweilen sich zu Tode. Ich mach das. Ich niese ungehemmt auf den Boden, breche die Infektionskette und schütze die Gemeinschaft. Das Dumme daran: Die Gemeinschaft erkennt meinen tiefen Altruismus nicht, sondern hält mich für das Schwein! Deshalb, liebe Leser, lassen Sie uns Wissen statt Viren verbreiten. Sie haben die Aufgabe und die Pflicht, sollte es Sie ab jetzt irgendwann in der Nase kitzeln, sich vorbildlich zu verhalten und auf den Boden zu explodieren. Es braucht etwas Gewöhnung, aber ich habe diesen Traum, dass sich nicht heute, nicht morgen, aber schon in naher Zukunft, zwei Menschen auf der Straße begegnen, einer niest auf die Erde, der andere stoppt, staunt und sagt: «Sie kennen Hirschhausen!» Dann liegen sich beide in den Armen und stecken sich nicht an.

Erkältungsmittel – Wer schützt das Abwehrsystem vor uns?

Die Nase rinnt, der Deutsche rennt – zum Arzt. Falsch. Als ehemaliger Arzt darf ich Ihnen verraten, dass es keine unbeliebteren Patienten gibt als die Erkälteten. Sie erinnern den Arzt an eine seiner größten Blamagen. Wir können Herz und Lungen transplantieren, Radfahrer den Urin von einem anderen pinkeln lassen – aber gegen Schnupfenviren können wir nichts ausrichten.

Nicht nur, dass du dem Patienten erstens nicht helfen kannst. Zweitens kannst du auch nichts wirklich dafür abrechnen. Und drittens steckt er alle anderen im Wartezimmer an, die wirklich eine lukrative Krankheit gehabt hätten!

Die Leute sollten also am besten direkt zum Apotheker gehen. Der kann immer etwas abrechnen. Und hat auch kein schlechtes Gewissen, Zeug zu verkaufen, das auf den Krankheitsverlauf nicht besser wirkt als Placebos. Ein Riesenmarkt: Die Deutschen geben jedes Jahr 1,5 Milliarden Euro für Erkältungsmittel aus. Es gibt ja auch so viele davon! Und wenn es viele Mittel für eine Krankheit gibt, ist das ein sicheres Zeichen, dass keins davon wirklich funktioniert. Es hätte sich sonst irgendwann rumgesprochen.

Der letzte Schrei: eine undefinierte Pflanzensoße namens «Erste Abwehr». Wenn dich einer anniest, ganz schnell in die Apotheke rennen, Rachenspray kaufen, hinterhersprühen, und dann soll dir nichts passieren. Das ist medizinisch so plausibel, wie eine Schwangerschaft zu verhüten, indem man nach ungeschütztem Sex eine halbe Stunde lang auf einer Packung Kondome herumkaut. Egal, es wird gekauft und geschluckt, was das Zeug hält. Wobei das Zeug meist mehr verspricht, als es hält. *Echinacea* zum Beispiel «stimuliert das Immunsystem». Aha. Ganz sicher tut es das. Sie könnten ebenso gut Dreck fressen, das würde Ihr Immunsystem auch stimulieren. Es ist nämlich die Aufgabe des Immunsystems zu reagieren, wenn da seltsame Substanzen angeschwommen kommen. Ob Ihnen das gegen Schnupfen hilft oder nicht, ist völlig unbewiesen. Dabei ist *Echinacea* noch nicht einmal unschädlich! Es gibt bis heute nichts Besseres, als abzuwarten und Hühnersuppe zu schlürfen. Was mich wirklich überrascht, dass es bis heute Hühnersuppe nicht als Zäpfchen gibt! Warum schwört eigentlich jeder auf SEIN Erkältungsmittel? Weil keiner vorhersagen kann, wie lange eine Erkältungsepisode dauert. Mal leiden Sie einen Tag, mal fünf Tage, mal zehn Tage. Kein Arzt der Welt weiß das vorher. Sie auch nicht. Neulich haben Sie zehn Tage gelitten und schwören sich, nächstes Mal etwas Homöopathisches zu probieren. Dann kriegen Sie eine Erkältung, die nach drei Tagen von allein zu Ende ist. Weil Sie aber an Tag eins homöopathische Mittelchen genommen haben, sind Sie an Tag vier davon überzeugt, dass es diesmal nur so kurz gedauert hat, WEIL Sie dieses bestimmte Mittel geschluckt haben.

Erkältung überträgt sich leichter als Bildung. So denken viele, ein schlechtes Immunsystem zu haben, weil sie oft erkältet sind. Wenn man jedoch tatsächlich ein schlechtes Immunsystem hat, ist man schwer krank, aber ohne die klassischen Symptome. Denn das Niesen ist gerade eine Reaktion eines aktiven Immunsystems, das versucht, die Viren aus dem Körper rauszupusten. Weil die aber in den Zellen sitzen, ist das ein vergebliches Unterfangen. Die Viren husten uns etwas!

Was tatsächlich seit hundert Jahren hilft, ist Aspirin. Natürlich nicht gegen die Ursache der Erkältung, aber dankenswerterweise gegen die unangenehmen Symptome. Dafür dauert die Krankheit dann auch ein oder zwei Tage länger, als wenn man sie mit Fieber auf natürliche Art bekämpft hätte. Also: Aspirin oder Askese? O Gott, doch bitte keine Chemie! Nur was Pflanzliches! Aspirin ist pflanzlich, der Wirkstoff kommt aus der Weidenrinde. Die Natur hat Humor. Ich muss immer lachen, wenn ich mir vorstelle, wie so ein Urmensch gegen eine Weide läuft, tierische Kopfschmerzen hat, und das Mittel dagegen wächst direkt vor seiner Nase, ohne dass er es weiß! Da sind wir heute wirklich weiter. Allein, wie viele verschiedene Darreichungsformen es inzwischen von «Aspirin» gibt! Keiner muss mehr die Weidenrinde selbst auskochen und sich den Magen verderben. ASS von anderen Herstellern wirkt natürlich genauso gut, aber manchmal muss es halt etwas Besonderes sein. Statt einer schnöden Tablette gönn ich mir manchmal diese teuren Tütchen mit der innovativen Pulverform. Diese weiße Brause nennt man auch «Kokain des kleinen Mannes».

Noch beliebter ist Vitamin C, die Ascorbinsäure. Sie ist extrem billig herzustellen und deshalb bei den Herstellern extrem beliebt. Alles, was nicht bei drei auf den Bäumen ist, bekommt C dazu: Bonbons, Säfte, sogar Parteien brüsten sich mit dem «plus C».

Kurzer Test: Leiden Sie unter akutem Vitamin-C-Mangel?

- Sie essen nie frisches Obst und Gemüse, weil Sie seit Jahren in einem Heim nur mit Kartoffelbrei zwangsernährt werden.
- Sie sind seit sechs Monaten auf den Weltmeeren unterwegs.
- Sie leben im 18. Jahrhundert.

Wenn eins davon auf Sie zutrifft – wie sind Sie an dieses Buch gekommen?

So segensreich das Vitamin für Seefahrer einst war, so hartnäckig hält sich sein Mythos in Zeiten der täglich frischgepressten Südfruchtsäfte. Vitamin C ist wasserlöslich und wird nicht im Körper gespeichert. Es verlässt den Körper folglich so gelöst, wie es gekommen ist. Wer ständig diese Zusätze futtert, erreicht damit vor allem eins: Sein Urin kann als Multivitamin-Drink gelten! Zum Runterspülen eigentlich viel zu schade!

Erkältungen bieten doch auch Grund zur Freude. Mal ehrlich: Gibt es Schöneres im Leben als diesen Moment, in dem sich nach allem Triefen und Dröppeln die Konsistenz verändert? Wenn als Vorbote der Heilung die ersten stabileren Fäden wie Lichtstreifen am Horizont den staunenden Betrachter aus dem Taschentuch anlachen? Das Sekret vom Klaren ins Trübe umschlägt und die Stimmung von trüb nach klar? Dann ist uns, als könnten wir die Welt umarmen, die Viren kapitulieren und hissen ein letztes Mal die weiße Tempo-Fahne. Wir wissen wieder zu schätzen, was wir dem Niesenden zurufen: Gesundheit!

Allergien – Paarbildung in Zeiten des Pollenflugs

Ich hasse den Frühling. Diese Jahreszeit teilt die Menschen in zwei Gruppen: Verliebte und Allergiker. Weil es mit wachsendem Abstand zur Pubertät und schrumpfender Naivität schwieriger wird, sich so richtig zu verknallen, möchte man doch wenigstens zu den anderen gehören. Jene, die mit dem Frühling wenn schon keine Leidenschaft, so doch ein Leiden verbinden können. Ein bisschen Allergie gehört inzwischen zum guten Ton. Keineswegs möchte ich das Leiden der tatsächlichen Allergiker irgendwie verharmlosen oder gar die Gelegenheit auslassen, auf die reale Gefahr einer Verschlechterung durch Nichtbehandeln hinzuweisen. Aber ich muss zugeben, dass ich mich insgeheim freute, als endlich auch meine Augen und Nasenflügel im Frühling juckten. Meine Eltern haben als Kinder noch so viel Kontakt zu echtem Heu gehabt, dass sie bis heute nicht allergisch darauf reagieren. Aber ein Gutteil meiner Geschwisterschar leidet. Und ich eben auch ein kleines bisschen. Wer heutzutage gar keine Allergien aufzuweisen hat, gilt insgeheim als grober Klotz. Hat auf Partys nichts zu erzählen. Zeigt keine Gefühle. Rote Augen und laufende Nase hat man eigentlich, wenn die eingangs erwähnte Verliebtheit abrupt endet. Der Allergiker hat sie ständig. Er ist es, der diese Welt nicht nur oberflächlich wahrnimmt, sondern bis ins Kleinste und Tiefste empfindet. Und leidet.

Diese Menschen sind die Seismographen, jedes Niesen eine Erschütterung darüber, dass mit unserer Welt nichts mehr stimmt. Wir haben im wahrsten Sinne die Nase voll von Chemie im Essen, der Globalisierung der Kiwi und dem Pollenflug, der sich an keine internationalen Absprachen zur Flugsicherung hält. Die Bäume schlagen aus, das Immunsystem schlägt zurück. Das triebhafte Blühen der Pflanzenwelt trägt zu unserer Antriebslosigkeit bei. Gerade im Kontrast zur

Magnolienblüte, die sich plötzlich aus einem dürren, schon fast totgeglaubten Ast überbordend entblättert, überkommt uns die Frühjahrsmüdigkeit. Hat der Mensch in den Jahrtausenden seiner Zivilisation gelernt, seine Gene nur noch gelegentlich und vor allem nachts im stillen Kämmerlein zu verbreiten, hat die Natur bis heute kein echtes Schamgefühl entwickelt und haut ihre geilen Gene ungehemmt und im Überfluss in die Luft und blind durch die Gegend. Statt nur auf die Fruchtstempel der eigenen Art zu fallen, versteigen sich die Pollen auf artfremde Schleimhäute und reizen dort so lange, bis von unseren eigenen Reizen und Fortpflanzungstrieben nichts mehr übrig bleibt. Unser Immunsystem kapituliert, das Hormonsystem resigniert gleich mit. Die einzige Person, mit der im Zustand der Hypersekretion noch zarte Bande möglich sind, ist die Apothekenhelferin.

Welche Ironie des Schicksals: Die Natur rächt sich dafür, dass wir sie nicht mehr kennen. Beim Allergietest wissen wir, Bärlapp, das war das Zeug, dem ich diesen dicken roten Ausschlag am Unterarm zu verdanken habe. Aber wer würde denn Bärlapp am Wegesrand erkennen? In der Jugend hat so mancher gemischte Gräser noch geraucht, bis die Augen rot wurden, heute kommt die Rötung schon ohne Rausch. Wie ernüchternd. Dafür, dass es uns jahrelang egal war, welchen Dreck die Pflanzen einatmen, überziehen sie uns jetzt in ihrem Todeskampf noch einmal mit dem Subtilsten, was sie haben: Feinstaubpollen.

Plötzlich interessieren nicht mehr die Staumeldungen, nein, die Allergenansage. Wen interessiert noch Politik, wenn die Pollen fliegen? Neue Koalitionen formen sich. Bist du dabei oder nicht? Die Allergiker erkennen sich, haben subtile Codes, die ihre Zugehörigkeit signalisieren. Frauen tragen plötzlich kein Augen-Make-up mehr, Männer, die sonst keine Träne vergießen, tropfen sich öffentlich aus kleinen Ampullen Wundermittel in die wunden Augen. In Meetings wandern Taschentuchpackungen mit verständnisvoll-konspirativem Blick über den Tisch, wie man ihn sonst nur von Rauchern draußen auf dem Balkon kennt, wenn die Schachtel kreist. Die Sprachregelung ändert sich: Plötzlich ist es verpönt, jemandem, der niest, «Gesundheit» zu wünschen. Denn Schnupfen hört von allein nach sieben Tagen auf, Heuschnupfen heilt nicht von allein, kommt wieder, jede Saison. Besser als ein profanes, achtloses «Gesundheit» ist daher ein tiefer verständiger Blick, ein Kopfschütteln der gemeinsamen Ratlosigkeit und ein gehauchtes: «Sie auch?»

Denn immer noch gilt: Geteiltes Leid ist halbes Leid. Blöd ist nur, wenn in einem Liebespaar nur einer leidet und der andere mitleidlos danebensteht. Drum ein letzter Rat an die Frischverliebten: Am besten gleich gemeinsam ins Heu – und wenn man da synchron niest: Dann passt es!

Ärzte

Kopfschmerzen sind eine Volkskrankheit. Aber gut zu behandeln. Wie, entscheiden Sie – durch die Wahl Ihres Arztes.

Sollten Sie, aus welchen dunklen Motiven auch immer, einen Orthopäden aufsuchen und dabei von Ihrem brummenden Schädel erzählen, wird er reflexartig sagen: «Das kommt von der Halswirbelsäule.» Der Orthopäde hat den Menschen bis zum Kopfansatz gelernt, oberhalb der Halswirbelsäule (HWS) kommen keine großen Gelenke mehr vor. Hirn und so wabbelige Synapsen waren nie seins. Also wenn es da oben drin irgendwie wehtut, muss es auf dem Weg dahin passiert sein. Dann wird die HWS erst mal geröntgt. Weil man auf dem konventionellen Röntgenbild den Schmerz aber nicht sieht, wird ein Bild mit dem MRT, dem Magnetresonanztomographen, gemacht. Ein paar tausend Euro später ist klar: Die Halswirbelsäule ist nicht ganz gerade. Das ist sie bei keinem von uns. Das hat die Natur so eingerichtet, um Stöße geschmeidig abzufedern. Aber woher soll das der Orthopäde denn wissen. Gut, dass wir es geröntgt haben.

Dann verordnet der Orthopäde Bestrahlung. Dahinter verbirgt sich eine bessere Mikrowelle an einem Krakenarm, mit der man an alle Körperpartien gezielt etwas Wärme bringen kann. Nichts gegen einzuwenden. Den Effekt hätten Sie theoretisch auch mit einem warmen Wickel erzielen können, aber da hätten einem für die zehn Minuten Behandlung komplett die Anfahrt und die fünfzig Minuten im Wartezimmer gefehlt, und Vorfreude ist ja bekanntlich die schönste Freude. Außerdem hätte der Orthopäde Ihren Privatwickel auch schlecht abrechnen können.

Ist das Budget für Röntgen und Wärmebehandlung erschöpft, der Kopfschmerz aber noch da, macht der Orthopäde Chirotherapie. Er hat an zwei Wochenenden mal so einen Kursus besucht, und was Quacksalber über Jahrhunderte auf Jahrmärkten gemacht haben, kann ja nicht ganz falsch gewesen sein. Was sich nicht von selbst wieder einpasst, wird passend gemacht. Dazu legt man sich auf den Rücken, soll ein letztes Mal tief einatmen, der Meister nimmt den Kopf in den Schwitzkasten und macht RUCK und KNACK.

Wenn Sie danach den Kopfschmerz noch spüren, ist das ein gutes Zeichen. Denn es bedeutet: Ihre Blutversorgung ist noch intakt. Die Arterien für den Kopf ziehen nämlich durch delikate kleine Löcher in den Halswirbelbögen und reißen bei der gewaltsamen Manipulation schon mal ab. Kein Scherz. Es gibt jedes Jahr schwere neurologische Notfälle durch unsachgemäßes therapeutisches Geruckel am Hals. Wer also nach der Chirotherapie noch gehen kann, sollte dies auch tun, und zwar weg vom Orthopäden zum nächsten Doktor. Der Hals-Nasen-Ohren-Arzt diagnostiziert, dass die Kopfschmerzen von den Nebenhöhlen, der Augenarzt, dass sie von den Augen kommen. Schließlich landet man frustriert beim Psychoanalytiker:

«Kopfschmerz? Ganz typisch.»

«Ach ja?»

«Sie haben sich in Ihrer Pubertät mal mit Ihrem Vater gestritten!»

«Nein, es war sehr harmonisch bei uns zu Hause.»

«Ich hab's gefürchtet, so tief haben Sie das verdrängt!»

«Selbst wenn es so war, das ist über dreißig Jahre her!»

«Sehen Sie, und genau deshalb werden wir auch dreißig Jahre brauchen, um mit Ihrem Schmerz irgendwie arbeiten zu können!»

Kopfschmerzen behandelt man am besten in Kenntnis der Ursache, und weil es 300 verschiedene davon gibt, lohnt der Besuch bei einem guten Neurologen.

Weil diese Empfehlung keine Pointe hat, zum Abschluss ein kleiner Witz. An den vier Ecken eines Fußballfeldes stehen vier Ärzte: ein guter Orthopäde, ein schlechter Orthopäde, ein Chirurg und ein Radiologe. Nach dem Startschuss sollen sie alle losrennen, denn in der Mitte des Feldes steht ein Pokal mit 50 000 Euro. Frage: Wer ist zuerst

beim Geld? Immer der schlechte Orthopäde. Warum kann man sich da sicher sein? Einen guten Orthopäden gibt es nicht, dem Chirurg waren die Regeln zu kompliziert, und ein Radiologe rennt doch nicht los wegen läppischer 50 000 Euro!

Klinische Zeichen – Blickdiagnosen aus dem Schuhwerk

Die häufigste Frage, die mir gestellt wird: Warum wird man vom Arzt zum Komiker? Für mich liegen die beiden Fächer gar nicht weit auseinander. Die Grundfähigkeit ist dieselbe: genau beobachten und die Perspektive wechseln zu können. Wo sonst hätte ich das besser lernen können als in England, dem Mutterland des Humors?

Während meiner Medizinausbildung durfte ich ein Jahr lang in London studieren, wo der Sherlock Holmes in jedem Studenten geweckt wird. Die Königsdisziplin heißt dort «clinical signs»: Es gilt, kleine verräterische Veränderungen am Körper zu entdecken, darum entbrennt ein sportlicher Wettbewerb. Ein Oberarzt hatte immer eine Kamera dabei, um jederzeit alle kuriosen klinischen Zeichen festzuhalten. In seiner Vorlesung zeigte er ein Bild von zwei schwarzen Herrenlederschuhen mit kleinen blassen Flecken darauf. «Was hat der Patient?», fragte er. «Wir sehen gar keinen Patienten», klagten wir. Das sei in diesem Fall auch nicht nötig, um die weißen Flecken zu deuten, sagte der Dozent. Nach und nach dämmerte es uns: Es waren eingetrocknete Zuckerkristalle, der Patient hatte also Zucker im Urin, sprich Diabetes. «Richtig», sagte der Oberarzt. «Und zudem darf man vermuten, dass seine Prostata vergrößert ist, weil so viel auf die Schuhe getropft ist.»

Hierzulande wird praktisch von jedem Patienten als Allererstes eine ganze Batterie an Blutröhrchen abgezapft, was nach moderner Medizin aussehen soll, gleichzeitig aber an das mittelalterliche Prinzip des Aderlasses erinnert. Hatte ich in England einen Bluttest angeordnet, musste ich mich auf eine Frage gefasst machen: Was erwarten Sie von dem Ergebnis, und ändert es Ihre Behandlung? Aus purer Neugier durfte nichts ins Labor. Eine harte, aber gute Schule.

Vertraut mit dem britischen System und geschärften Sinnen für kleine Zeichen, verbrachte ich drei Monate des praktischen Jahres in

Südafrika, im Johannesburger Baragwanath-Hospital, dem «Bara» im schwarzen Stadtteil Soweto. Die Einrichtung bestand aus alten englischen Baracken, pro Gebäude eine «Station», Bett an Bett. So rudimentär die Einrichtung war, so motiviert arbeitete das medizinische Personal.

Drei Episoden werde ich nie vergessen. Ein junger Mann kam mit Atemnot zu uns. Klarer Fall: Ein Lungenflügel war eingefallen, Pneumothorax. Auf dem Röntgenbild sah man auch sofort den Grund: Eine Pistolenkugel steckte tief in der Lunge. Aber irgendwie passte das Bild nicht zu meinem Untersuchungsbefund. Die Kugel steckte links, die Lunge war aber rechts implodiert. War die Kugel durch den halben Brustraum geflogen? Täuschte mich die Erinnerung? Hatte ich beim Röntgen die Seiten vertauscht? Hing das Bild richtig herum? Zurück zum Patienten, denn er musste ja behandelt werden, nicht sein Röntgenbild. Also noch einmal richtig hinschauen, und dann kapierte ich: Der aktuelle Pneumothorax wurde durch einen Messerstich verursacht, die Kugel war schon vorher in der Lunge, seit einer alten Streitigkeit im letzten Jahr. Sie war einfach dringeblieben, ohne weiteren Schaden anzurichten. Der Patient bekam seine Saugdrainage auf die richtige Seite und konnte munter nach vier Tagen die Klinik wieder verlassen, auf zu neuen Taten. Wie schnell junge Menschen von chirurgischen Notfällen genesen können, ist eine der beglückenden Erfahrungen der Medizin in anderen Ländern.

Tragikomisch der Fall eines weißen Polizisten, der in Soweto Dienst tat. Er war seines Lebens nicht mehr froh und wollte sich umbringen – aus welchen Gründen auch immer. Seine Dienstwaffe sollte ihn ins Jenseits befördern, aber da er sehr viel Glück in seinem Unglück hatte, verletzte er sich nur leicht und wurde ohnmächtig. Der Rettungswagen fuhr ins nächste Krankenhaus – ausgerechnet ins «Bara», wo sich 1990 normalerweise kein weißer Patient hinverirrt hätte. Er wurde versorgt und war rasch außer Lebensgefahr. Ich hab mir immer vorgestellt, was diesem armen Mann wohl als erster Gedanke durch den Kopf ging, als er die Augen aufschlug und lauter schwarze Menschen um ihn herumstanden, Ärzte, Krankenschwestern und neugierige Mitpatienten. Himmel, Hölle, Nirwana? Er erholte sich jedenfalls von seinem Schock; seine Depression konnte gut behandelt werden. Und wie praktisch alle, die Suizid versuchen, war auch er im Nachhinein heilfroh, dass es nicht geklappt hatte.

Überhaupt interessierte mich die seelische Seite der Medizin immer mehr als die chirurgische. Und wann immer es ging, machte ich die Visite mit auf der geschlossenen Psychiatrie. Mein erster Tag auf der «Station» wird mir immer im Gedächtnis bleiben. Chronisch mit Pflegepersonal unterversorgt, freuten sich die Pfleger über meine Mithilfe und ließen mich studentischen Anfänger allein die Gespräche führen.

Mit weißem Kittel musste ich den Patienten wie ein Stationsarzt vorkommen, und so fand ich mich innerhalb kürzester Zeit von vierzig mehr oder minder psychotischen Männern umgeben, die auch schon einzeln deutlich stärker waren als ich. Cool bleiben und weiteratmen, dachte ich und hörte zu, was den Anführer so bewegte: «Herr Doktor, Herr Doktor, Sie müssen mich entlassen!» Ich schaute in die Akte und fragte: «Hören Sie denn noch die Stimmen in Ihrem Kopf?» – «Ja, na klar.» – «Und was sagen die Stimmen?» – «Dass Sie mich entlassen sollen!» Was war das wichtigste «clinical sign», dass er auf dem Weg der Gesundung war? Dass er selbst darüber lachen musste.

Zahnmedizin – Ein blendendes Lächeln aus China

Der Zahnmediziner ist der natürliche Feind des Humanmediziners. Denn in der ambulanten Versorgung wird allein für das relativ überschaubare Areal zwischen Ober- und Unterkiefer annähernd so viel ausgegeben wie für den ganzen Rest des Körpers. Da bleibt einem der Kiefer schon mal offen stehen. Selbst der Laie überlegt kurz, ob das Geld so fair verteilt ist.

Dabei jammern Zahnärzte immer am lautesten: «Wir leben von der Hand in den Mund!» Ja, Freunde, genau das ist euer Job!

Bei den heutigen Zuzahlungen lohnt es sich fast, direkt von den Ersten auf die Dritten umzusteigen. Die Zahnärzte haben ja nicht zuletzt selbst bewiesen, dass es bei der weißen Ware enormes Einsparpotenzial gibt: Die haben in einem bundesweiten Skandal vor nicht allzu langer Zeit billig Zahnersatz aus China importiert und natürlich voll abgerechnet. Ohne jedes Unrechtsbewusstsein. «Muss ja nicht schlechter sein. Die Chinesen haben schließlich über 2000 Jahre Vorsprung im Umgang mit Porzellan.» Aber hierzulande reagierte man dann doch eher süßsauer, und die Zahnärztekammer bildete ein Krisen-Stäbchen. Wenn Sie, liebe Leser, Sorge haben, Sie könnten eventuell auch Zähne aus China im Mund haben, achten Sie auf die folgenden drei Warnsignale: Erstens: Sie können kein «R» mehr aussprechen. Zweitens: Sie bilden spontan Speichel beim Anblick von Hunden. Und drittens: Ihr Zahnarzt verhält sich auffällig anders. Werden Sie also skeptisch, wenn er Ihnen zum Mundspülen plötzlich einen Pflaumenwein anbietet und sagt: «Geht auf die Haus!»

Man kann nicht vorsichtig genug sein bei der Wahl seines Arztes. Wobei es wirklich nicht fair ist, dass 95 Prozent der Zahnärzte allen anderen so einen schlechten Ruf eintragen.

Rauchende Ärzte – Tabak ist doch rein pflanzlich

Ärzte rauchen. Jeder Fünfte von ihnen. Immerhin ein bisschen unter Bevölkerungsdurchschnitt. Krankenschwestern rauchen noch mehr, kein Wunder: Wenn es im Schwesternzimmer klingelt, muss immer die losrennen, die gerade keine Zigarette angezündet hat – so eine Art Reise nach Jerusalem ohne Stühle, dafür mit Aschenbechern.

Chirurgen rauchen mehr als Hausärzte, aber am schlimmsten sind die Psychiater. Da gehört es zum Bild dazu, dass man für menschliche Süchte und Schwächen nicht nur theoretisch, sondern auch praktisch Verständnis hat. Sie haben große Vorbilder: Freud, der ja lebenslang rauchte, hörte auch nach seiner Krebsoperation am Gaumen nicht damit auf. Er wusste um die Gefahr, die Schmerzen, die Verschlechterung seiner Prognose. Er gab zu, nach Zigarren süchtig zu sein. Er nannte als Grund eine menschliche Veranlagung, die er Wissen-und-nicht-Wissen nannte, einen Zustand rationalen Begreifens, das nicht in eine entsprechende Handlung einmündet.

Auch Alois Alzheimers Markenzeichen war seine allgegenwärtige Zigarre, die er gerne am Arbeitsplatz der Studenten liegenließ, sodass jeden Abend das gesamte Labor von dem Dunst abgebrannter Zigarren eingehüllt war.

In den fünfziger Jahren war Rauchen ein Zeichen geistiger Überlegenheit. Auf den Umschlagseiten der Biographien namhafter Kliniker wurden diese berühmten akademischen Vorbilder mit angezündeter Zigarette abgebildet. Nicht nur in Amerika, auch in Deutschland wurden viele Wissenschaftler von der Zigarettenindustrie gesponsert, um die Gefahren des Rauchens und des Passivrauchens zu vernebeln. Mit Erfolg. Es ist keine zehn Jahre her, dass die Regierung Schröder gegen das Werbeverbot der EU für Zigaretten geklagt hat. Versteht das jemand? Die EU subventioniert den Tabakanbau, und etwa ein Hundertstel dieses Geldes bekommen die Stellen, die vor dem Rauchen warnen sollen. Ist allen der Verstand komplett zugequalmt?

Frau Dr. Elisabeth Kübler-Ross ist auch ein gutes Beispiel. Die Pionierin der Sterbehilfe stritt nach ihrem ersten Schlaganfall mit dem behandelnden Neurologen so lange, bis sie durchgesetzt hatte, mit einer anderen Patientin gemeinsam rauchen zu dürfen. Für sie war es der Protest, nicht zu allem ja zu sagen, sich nicht anzupassen. Ihre Begründung? «Das ist mein Leben.» Und ihr Tod.

«Kognitive Dissonanz» heißt das Phänomen, auf gut Deutsch: «Wir denken gerne schlau, handeln dann aber blöd!» Und je näher man der Gefahr ist, desto besser lässt sie sich augenscheinlich verdrängen. Was soll einem Halbgott in Weiß schon passieren? An dem weißen Kittel prallen alle Gefahren ab, so wie an einem Supermann-Cape. «Unter uns, wieso soll Tabakrauchen denn so gefährlich sein, ist doch rein pflanzlich!» Mit diesem Argument rauchen viele Ärzte auch ohne Filter, damit daran bloß keine Vitamine hängen bleiben. Auch beliebt: «Ich kann ja immer noch aufhören, wenn ich etwas spüre!» Wer jemals ein Röntgenbild einer Raucherlunge in der Hand hatte, weiß: Wenn man etwas spürt, kann man weiterrauchen, dann ist es auch fast egal. Jeder zweite rauchende Medizinstudent gibt übrigens an, persönlich einen Raucher zu kennen, der 90 Jahre alt geworden ist. So viele 90-jährige Raucher gibt es gar nicht … oder sie kennen alle denselben. Was Ärzte außerdem verleitet, sich selbst so extrem ungesund zu verhalten, ist die Illusion, die entscheidenden Kollegen zu kennen, die einem alles wieder heile machen. «Wenn ich was habe, ruf ich den X an, mit dem hab ich studiert, der ist jetzt in Hannover Professor und transplantiert mir eine neue Lunge!» Nicht wenige Menschen rauchen nach einer Herz- oder Lungentransplantation weiter – wenn das der Spender wüsste …

Was die dabei unterschätzen: Selbst wenn die extrem aufwendige und riskante Operation gelingt, wie fühlt sich das Leben mit der Lunge eines Fremden an? Bei jeder produktiven Erkältung hat man doch dieses mulmige Gefühl, dass dieser ganze Schleim jetzt, streng genommen, gar nicht der eigene ist.

Uups, jetzt mach ich den gleichen Fehler wie die Gesundheitsfana-
tiker, ich argumentiere mit Gefahren und Angst: «Denk an die vielen
Todesfälle durchs Rauchen: Herzinfarkt, Schlaganfall, Erfrieren auf
dem Balkon!» Was erreicht man damit? Trotz, das Gefühl: «Ich-rau-
che-gern-und-jetzt-erst-recht!»

Die bittere Wahrheit ist: Das Gesundheitssystem braucht die Raucher ganz dringend. Sie zahlen statistisch gesehen lange ein, bis 65,
und sterben bald darauf. Diese ganzen teuren Pflegejahre von 75 bis
95 rufen die nie ab, die schenken die der Gemeinschaft. Der Raucher
stirbt relativ zügig und vergleichsweise preiswert: ein paar Zyklen
teurer, aber unwirksamer Chemotherapie und Schluss. Unterm Strich
zahlen viele Raucher also mehr ein, als sie kosten. Wenn man das einmal auf die Schachteln schreiben würde: «Wer raucht, verschenkt Kas-
senbeiträge», «Nichtrauchen gefährdet das Gesundheitssystem» oder
«Die Rente ist sicher, wenn Sie weiterrauchen!» – so sähe glaubhafte
Abschreckung aus!

Arztsocken – Komik am Knöchelrand

Arztsocken: In jedem guten deutschen Kaufhaus gibt es diese privilegierte Berufskleidung zu erwerben, natürlich nur unter Vorlage einer gültigen Approbation. Arzt ist man eben ganz oder gar nicht, vom Scheitel bis zur Socke. Gerade in Notfällen muss sich ein Arzt zu 100 Prozent auf seine Socken verlassen können. Doch in England ist die bewährte Arzt-Socke-Beziehung ins Wanken geraten.

In der Grafschaft Lancashire verhängten die Gesundheitsbehörden vor kurzem einen «Sockenerlass», der es Ärzten verbietet, im Dienst Socken mit Cartoons zu tragen. Die Simpsons, Superman und andere Comic-Helden haben ab sofort in Kliniken Hausverbot. Die vom Nachtdienst gezeichneten Halbgötter in Weiß sollen nicht durch andere gezeichnete Helden an Seriosität verlieren. Ganz offiziell lautet die Begründung der britischen Behörden: Mit dem Erlass solle sichergestellt werden, dass die Belegschaft jederzeit ein professionelles Auftreten habe. Ärzte sollten sich die Hände waschen und die Füße. Der Vorteil auffälliger Socken liegt für mich auf der Hand: Es fällt sehr viel schneller auf, wenn sie nicht gewechselt werden!

Meine eigene Erfahrung als Mediziner in London: Uns Deutsche erkannte jeder schon aus der Ferne an den Birkenstock-Sandalen. Alle Engländer tragen im Krankenhaus geschlossene Schuhe. In Deutschland liefert also das Schuhwerk schon das Bekenntnis, in England ist seit den Tagen von Robin Hood die Exposition des eigenen Charakters eine Frage der Strümpfe. In der Schweiz hätte niemand sich gewundert, wären national Käsesocken verboten worden. Aber ausgerechnet Comicsocken im Mutterland des Humors untersagen?

Ausgenommen ist natürlich Schottland. Der stolze Schotte trägt unter dem weißen Kittel einen Kilt und darunter alles oder nichts, aber eins bestimmt nicht: Superman-Socken! Wann achtet ein Patient

Die OP-Schwester und der Chirurg privat.

überhaupt auf die Socken seiner Ärzte? Wenn er stark vorn übergebeugt stehen muss oder gar am Boden liegt.

Augenkontakt ist nicht bei jeder Untersuchung, gerade bei der rektalen, durchgängig möglich. Aber die entsprechend gestalteten Socken vermitteln auch dem tiefgebeugten Patienten noch ein mitmenschliches Augenzwinkern. Und das zählt! Selbst ein kurzer Lacher beim Anblick der Socken ist durchaus erwünscht, erübrigt sich doch so das alberne Hüsteln. Liegt der Patient aber bereits am Boden, hat er selten die Socken vor Augen, sondern das Schwarze oder den Schöpfer. Ob man allerdings nach einer erfolgreichen Reanimation direkt Homer Simpson ins Gesicht sehen will, ist eine berechtigte Frage.

Sicher ist die «Droge Arzt», das erwünschte «Placebo», an den Glauben des Patienten gebunden. Aber ist dieser durch Socken zu erschüttern, liegt der Bruch ganz woanders.

Humor kann man nicht anziehen, aber ausstrahlen; nicht als Tablette einnehmen – nur als Haltung. Die Verfasser des Socken-Erlasses darf man an die Worte des großen George Bernard Shaw erinnern: «Das Leben hört nicht auf, komisch zu sein, wenn Menschen sterben – ebenso wenig, wie es aufhört, ernst zu sein, wenn man lacht!»

Alternativmedizin

Neulich bemerkte ich an meinem Auto einen platten Reifen. Diesmal, dachte ich mir, gehst du mal nicht gleich zu einem normalen Automechaniker. Denn ich hatte gehört, es gibt da einen alternativen Automechaniker mit einem antimechanistischen Weltbild. Sozusagen ein Heilpraktiker für Autos. Also schob ich den Wagen zu ihm. Der heilpraktische Mechaniker hat sich auch erst mal total viel Zeit genommen für mich. Hat mir zugehört. Hat sich den Wagen angeschaut und dann diagnostiziert: «Klar, ich könnte jetzt den platten Reifen auswechseln. Aber das wäre ja nur – Symptome beheben. Ich spüre aber, der Wagen ist einfach nicht im Gleichgewicht.»

So was von sensibel, der Mann! Der betrachtete das Auto endlich mal ganzheitlich. Nachdem ich in Vorkasse gegangen war, fing er an, auf seine Art zu behandeln. Erst einmal die drei anderen Reifen. Mit Akupunktur. So lange, bis der Wagen wieder ganz im Gleichgewicht war.

Nun, er war ein sehr aufmerksamer Mensch und merkte, dass mich dieses Verfahren etwas befremdete. Er erklärte mir, die chinesische Medizin, aus der die Methode komme, unterscheide fünf verschiedene Elemente, und meinem Wagen fehle eindeutig eins von ihnen: Luft. Wahnsinn, was die vor über tausend Jahren schon über Autos gewusst haben!

Nach zwei Wochen bin ich wieder hin und wollte den Wagen abholen. Pustekuchen. Paul, inzwischen waren wir beim Du, erklärte: «Tja, das ist ein Prozess, den kann man auch nicht beliebig beschleunigen. Gras wächst auch nicht schneller, wenn man an den Halmen zieht.»

Nach einem Monat wurde ich richtig wütend. «Verdammt nochmal, wann ist endlich mein Auto fertig?» Paul blieb ruhig und empfahl mir, ich solle doch erst mal schauen, woher diese Ungeduld in mir komme.

Die Zeit verging, und nach ungefähr einem halben Jahr waren wir richtige Freunde geworden. Das Auto hatte ich schon längst abgeschrieben und gemerkt, es geht fast immer auch ohne. Dann, eines Tages, legte mir Paul die Hand auf die Schulter, nahm mich beiseite und sagte, jetzt sei ich wohl so weit, dass er mit mir noch eine tiefere Ebene anschauen könne. Es sei schließlich kein Zufall, welches Teil bei einem kaputtgehe. Da stecke ja auch immer eine Botschaft drin, die Krankheit als Weg, eine persönliche Aufgabe für mich. Ich solle doch mal überlegen, warum dieses Teil, das mir kaputtging, so doppeldeutig heißt, wie es heißt: REIFEN.

Unter dem Siegel der Verschwiegenheit offenbarte Paul mir schließlich seine Vision: Zusammen mit einem großen Autokonzern sei er gerade dabei, ein ganz außergewöhnliches Modell für den esoterischen Konsumenten zu entwerfen: den Opel Mantra.

Endlich ein Auto in Pyramidenform! Die Türen öffnen sich nach innen – und das ist wohl auch symbolisch zu verstehen. Die Sitze in dem Wagen sind im Kreis angeordnet. Das heißt: Alle, die mitfahren, bestimmen die Richtung gemeinsam. Serienmäßig mit drittem Scheinwerfer, Räucherstäbchenanzünder und statt der Hupe eine tibetanische Klangschale. Die Dualität des Antriebs ist aufgehoben. Es gibt nur einen Gang, sodass der Motor die ganze Zeit ein meditatives Fahrgeräusch macht: OMMM. Spitzengeschwindigkeit: zwölf Stundenkilometer. Aber das muss man im Einklang sehen mit der Philosophie, die hinter dem Wagen steckt und die da lautet: Der Weg ist das Ziel.

Auf Partys sage ich nur sehr ungern, dass ich approbierter Arzt bin. Denn dann setzen zwei Reflexe bei allen Anwesenden ein: Ich höre mir eine halbe Stunde Schauergeschichten über das Versagen der Schulmedizin an, und dann soll ich mal kurz mitkommen und im Bad über einen dubiosen Hautbefund unentgeltlich eine zweite Meinung äußern. Auf Partys redet man am besten über Homöopathie. Damit haben alle immer nur gute Erfahrungen. Besser gesagt, wer keine oder gar schlechte Erfahrungen gemacht hat, hält von allein die Klappe, aus Angst vor dem gesellschaftlichen Aus. Was Roberto Blanco für die Musik, sind homöopathische Globuli für die Medizin – ihre Popularität ist nicht wegzudiskutieren, egal, was man davon hält. Und: Wer sich so lange nicht unterkriegen lässt, an dem muss doch was dran sein. Der Gesundheitsmarkt ist in weiten Teilen eben keine Wissenschaft, sondern Unterhaltungsindustrie.

Homöopathie wirkt. Keine Frage. Nur hat es wahrscheinlich nichts mit den unterdosierten Mittelchen zu tun, sondern mit der unverdünnten Sympathie. Jemand hört dir über Stunden aufmerksam zu, stellt Fragen, gibt dir Glaube, Liebe, Hoffnung sowie strikte Anweisungen und Struktur für dein Leben. Seit 2000 Jahren sind das wirksame Elemente, nur hört man das heutzutage lieber vom Heilpraktiker als vom Pfarrer. Keine Chemie, keine Pharmaindustrie. Widersprüchliche Wirksamkeitsstudien. Stattdessen werden teuflische, aber natürliche Gifte wie Arsen, Bienenstachel oder Brechwurz so lange verschüttet und verdünnt, bis rechnerisch nichts mehr davon im Wasser enthalten sein kann. Aber: Das Wasser erinnert sich, mit welchem von einer Million Teilchen es Kontakt hatte. Komisch: Mein Kopf weiß oft schon am nächsten Tag nicht mehr, mit wem ich Kontakt hatte, und das Hirn besteht zu 90 Prozent aus Wasser! Egal – mein Homöopath versicherte mir: «Das Mittel enthält alle Informationen, die Ihr Körper gerade braucht!»

Auch über den Verlauf gab es weitere wasserdichte Prophezeiungen: Werden die Beschwerden stärker, ist das ein Zeichen dafür, dass das Mittel anschlägt, die sogenannte Initialverschlechterung. Werden die Beschwerden weniger – noch schöner. Wenn sich über Wochen gar nichts tut, liegt es am Amalgam. Wer heilt, hat recht. Man muss es nur so formulieren, dass, egal was auch passiert, der Heiler recht behält!

Weiteres emotionales Plus der Homöopathen: Du bekommst nicht, was alle kriegen, sondern DEIN individuelles Mittel: alle Informationen, die dein Körper jetzt braucht. Ich hab es probiert. Es ging mir auch tatsächlich besser danach. Wurscht, ob es an den Kügelchen lag oder an den hohen Dosen Mitgefühl und der ausgezeichneten Anamnese, von der jeder «Schulmediziner» sich etwas abgucken kann.

Als ich die Rechnung über 200 Euro bekam, habe ich gleich überwiesen. Genau zwei Cent. Und dazugeschrieben: «Nach allem, was ich gelernt habe, sind dies alle Informationen, die Ihr Konto gerade braucht.»

Wenn Ihr Arzt darüber lachen kann, dann bleiben Sie bei ihm. Wenn nicht – schnell verdünnisieren!

Trotz allem: Homöopathisch ist mir irgendwie sympathisch. Für andere Verfahren der komplementären Medizin hab ich nur Verwunderung, allem voran die Eigenurin-Therapie. Da wird mit bierernstem Gesicht Pipi gesammelt, gegurgelt und getrunken. Sozusagen: vom Erzeuger abgefüllt.

Ich hab das nie verstanden. Ich respektiere die Weisheit des Körpers. Wenn die Nieren etwas ausscheiden wollen, dann glaub ich ihnen. Die filtern 180 Liter Blut jeden Tag, um alle Schadstoffe aus dem Körper zu entfernen. Und dann kommt jemand daher und sagt: Urin – was für ein besonderer Saft. Lass uns den oben wieder reinkippen. Wie bitte? Ich glaube, auch Nieren fühlen sich manchmal verarscht.

Ich hab lange überlegt, das ultimative Alternativ-Verfahren zu entwickeln. Könnte man nicht das Verdünnen der Homöopathen UND die

Eigenurin-Therapie gleichzeitig anwenden? Ja, es geht! Im Schwimm-bad! Kinder machen das intuitiv! Die sind diesem ursprünglichen Wissen einfach viel näher.

Jetzt warte ich nur noch darauf, dass die Kasse bezahlt, dass ich ins Becken mach ...

Meerwasser – Nasal, legal, illegal

Die medizinische Sensation der letzten Jahre steht für mich fest: Meerwasser. Endlich gibt es Meerwasser in kleinen Sprühflaschen in Apotheken zu kaufen. Die kontrollierte Anwendung der Ozean-Urkraft ist damit von Mecklenburg-Vorpommern bis in die entlegenste Voralpenregion möglich geworden: Thalassotherapie für die Nasenscheidewand. Vor ein paar Millionen Jahren steckten wir noch alle unsere Nase ins Meer. In diesem Jahrtausend stecken wir uns das Meer in die Nase.

Meerwassersprays gelten als algenfrei, aber wer weiß schon, was da wirklich drin ist? Nach Lehrmeinung der Homöopathen müsste in dem Meerwasser jede Menge Informationen gespeichert sein. Durch die hohe Verdünnung sogar extrem potenziert. Reste der «Titanic», ein bisschen «Exxon Valdez», vom Kinderpipi gesammelter Nordsee-Familienbäder ganz zu schweigen.

Zum Glück sind die kleinen Meerwasserbehälter à 20 Milliliter gut verschweißt, keiner schaut rein. Kann mir irgendwer von Ihnen, liebe Leser, erklären, wie die Preisbildung bei Meerwassersprays funktioniert? Jeder BWLer quatscht einen voll von Angebot und Nachfrage. Wie kann dann auf einem Planeten, der zu zwei Dritteln von Meerwasser bedeckt ist, auf dem Land für zwanzig Milliliter ein Preis von fünf Euro erzielt werden? Rechnen Sie sich das mal aus: Wenn Sie drei Flaschen im Urlaub mit Meerwasser füllen, sind die über 500 Euro wert. Da hätten Sie den Flug schon wieder drin! Aber damit das nicht passiert, darf man Flüssigkeiten nicht mit an Bord nehmen. Hat nichts mit Terror zu tun – dahinter steckt die Apotheker-Lobby!

Unter den Meerwasser-Anwendern gibt es bereits richtige «Nasen», die einen Stoß Rügener Südseite mühelos von einer kalifornischen Ebbe-Spätlese unterscheiden können. Echte Genießer erkennt man so:

Alternativmedizin

Die miesen Tricks der Augenoptiker

sprühen, hochziehen und dann lange diskutieren können über den «Abgang».

Medizinisch gesehen ist Salzwasser übrigens wirklich sinnvoll. Regelmäßiges Nasespülen halbiert die Anzahl der Erkältungen pro Jahr. Außerdem hilft es gegen die Klimakatastrophe. Wer weiß, wie hoch der Meeresspiegel ohne die regelmäßigen Entnahmen für unsere Nasenscheidewände bereits gestiegen wäre?

Halten Sie mich für hoffnungslos romantisch, aber neulich lief ich auf Sylt am Strand entlang, und da hat es mich gepackt. Ich hab die Meerwassersprühflasche aus meiner Tasche geholt, aufgebrochen und Tropfen für Tropfen alles wieder seinem Ursprung und seiner Bestimmung zurückgegeben. Das Meer rauschte, und ich könnte schwören, in dem Rauschen hörte ich ein ganz leises, geradezu hingespültes: «Danke.»

Was ist die Steigerung von Intimpiercing? Nennen Sie mich altmodisch, aber ich hielt die Anzahl der Löcher am menschlichen Körper bislang für ziemlich ausreichend – bis ich von Dr. Bart Huges las. Denn dieser Revolutionär des Bewusstseins wirbt massiv dafür, nicht mehr länger nur Löcher in den Körper zu stanzen, sondern gleich direkt in den Kopf. Trepanation. Freiheit fürs Hirn, perforiert die Schädeldecke! Ein Loch im Kopf soll einen also nicht entwerten, sondern aufwerten, den Horizont nach oben hin erweitern. Das ist so plausibel, wie zu behaupten, jemand mit einem Loch in der Herzscheidewand wäre zu tieferen Liebesgefühlen fähig. Aber Probieren geht über Studieren.

Eigentlich war die Trepanation immer schon angesagt, allerdings durch den vermeintlichen medizinischen Fortschritt in den letzten 200 Jahren kurzfristig außer Mode geraten. Aber nachdem das verbale Seelenbohren à la Freud keine nennenswerten Erfolge hervorgebracht hat, erinnerte sich der Amerikaner wieder an die direkte Methode.

Sich zu löchern ist die wahrscheinlich älteste chirurgische Operation der Menschheit. Bereits aus der Steinzeit existieren Schädel mit kreisrunden Löchern, deren Ränder verheilt sind, wo also nach der Lochung nicht abgeheftet, sondern weitergelebt wurde. Irgendwie ermutigend: Schon vor 10000 Jahren haben sich Menschen in therapeutischer Absicht die Köpfe eingeschlagen. Kulturen auf allen Kontinenten hatten die gleiche Idee: mal ordentlich am Schädelknochen zu klopfen und zu schauen, wer öffnet. Die Anthropologen meinen, damit wollte man es bösen Geistern erleichtern, den Körper wieder zu verlassen. Aber wenn die Geister ohne Loch in den Körper reinkonnten, wieso brauchen sie dann einen Extraausgang?

Die andere Erklärung: Man sieht Lichtblitze, wenn man direkt mit Fingern aufs Hirn drückt. So gesehen wären die trepanierten

Steinzeit-Schädel eine Frühform des Zappens, lange vor der Erfindung des Fernsehens.

Den eigentlichen Grund sieht Bart Huges aber in der Erweiterung des Bewusstseins, darin, dem Kronen-Chakra die Knochenschuppen von den Augen zu meißeln. Kinder werden ja schließlich auch mit zwei Löchern im Kopf geboren. So gesehen stellt Trepanation nur den Urzustand wieder her. Klingt einleuchtend. Der Wiederentdecker hat schließlich auch ein Medizinstudium angefangen, um Psychiater zu werden, scheiterte dann aber an der Gynäkologieprüfung. Seitdem erweitert er das Bewusstsein per Zangengeburt. Auf seiner Homepage bezeugen über fünfzehn Menschen ihre freiwillige Trepanation – gegen Vorauskasse von ein paar tausend Dollar in einem kleineren Krankenhaus in Mexiko. Ohne Praxisgebühr. Unter den Jüngern befindet sich auch ein 32-jähriger Deutscher, der unter Depressionen litt. Ob durch das Bohrloch auch die Energie wieder sprudelt, bleibt leider seltsam nebulös. Bart Huges dagegen schwört, er sei auf einem Dauertrip – was aber auch an seinem LSD-Konsum liegen könnte.

Wie auch immer, die Vorteile der Trepanation liegen auf der Hand: Sollte der Schädel trotzdem einmal nach einer durchzechten Nacht brummen, kann der Trepanierte die Kopfschmerztablette besonders magenschonend direkt da einwerfen, wo es wehtut.

Trepanation könnte die spirituelle Antwort für die alternde Arschgeweih-Generation werden. Auf www.trepan.com werden weitere Freiwillige, aber auch Wissenschaftler gesucht. Meine Frage an die Langzeitbeobachtung: Ab welchem Alter benötigt das befreite dritte Auge wohl eine Lesebrille?

Seele und Geist

Winterdepression – Gassi gehen mit dem Schweinehund

Wissen Sie etwa noch, was Sie sich für dieses Jahr an guten Vorsätzen vorgenommen haben? Nicht? Sie sind in guter Gesellschaft. Alkohol bewirkt in unserm Hirn dasselbe wie ein Absturz beim Computer: Die letzten Änderungen werden nicht abgespeichert. Deshalb können sich die wenigsten am 2. Januar überhaupt erinnern, was sie sich vor dem Feiern für ab SOFORT ganz ernsthaft vorgenommen hatten.

Ich weiß es allerdings noch, weil mein guter Vorsatz fürs neue Jahr dieses Mal sehr umweltbewusst war. Ich hab einfach den vom letzten Jahr noch einmal verwendet, ein Motto von Mark Twain: Ehe ein Mann anfängt, seine Feinde zu lieben, sollte er seine Freunde erst einmal besser behandeln.

Ich liebe die Menschheit, aber liebt die Menschheit auch mich? Und warum ist es so viel einfacher jemand anderen zu lieben als sich selbst? Nur weil ich mich besser kenne? Wäre ich nicht in meinem Körper gefangen, ich hätte mich nicht nur einmal verlassen.

Auf Dauer können nicht nur wir selbst nicht aus unserer Haut, wir kriegen auch unseren Mitbewohner nicht vor die Tür: den ISH, den inneren Schweinehund. Von wegen: der älteste Freund des Menschen. Gut, ein Wolf ist er nicht mehr, aber richtig domestiziert? Morgens, wenn ich aufstehen will, zwingt er mich, noch etwas liegen zu bleiben.

Der ISH hat zudem einen Verbündeten in der Weckerindustrie: die Snooze-Taste. Sie ist die perfekte Art, sich den Start in den Tag zu versauen, besser gesagt: zu verschweinehundsen. Du drückst dich vor dem Aufstehen, indem du die vielversprechende Taste drückst, die den Alarm unterbricht – nur um fünf Minuten später mit dem gleichen nervigen Ton daran erinnert zu werden, dass Snoozen auch irgendwann vorbei sein muss – spätestens nach den nächsten fünf Minuten. k. Nochmal raufhauen.

Echte ISH-Experten stellen sich die Weckzeit dreißig Minuten vor dem eigentlich geplanten Aufstehen, das entspricht sechsmal Snoozen!

Doch was so schmusig nach mehr Lebensqualität klingt, ist in Wirklichkeit der sichere Weg, den ganzen Tag genau diesen verdösten Minuten hinterherzuhetzen. Wer beim Weckerklingeln liegen bleibt, beginnt den Tag mit einer Niederlage. Glück ist eine Überwindungsprämie, der Tag entscheidet sich an der Bettkante.

Die Spanier sagen, wenn sie morgens zu spät kommen: «Das Laken hat sich an meinem Körper festgeklebt» – und sprechen grammatikalische Wahrheit. Morgens ist der Mensch eine Passivkonstruktion.

Gerade in den Wintermonaten fehlt einem eins der wenigen wirksamen Argumente gegen den ISH: Licht. Wer will schon ins Halbdunkel hinein aufstehen? Bei vielen Deutschen wächst sich der Lichtmangel zur handfesten Winterdepression aus. Kein Wunder, denn unser Nervensystem wurde an der Wiege der Menschheit auf Glück geeicht. Doch die stand dummerweise nicht in Nordeuropa, sondern in Äquatornähe.

Aber wer wird nur selten von der «saisonalen Stimmungsstörung» gebeutelt? Hundebesitzer! Warum? Weil sie drei Antidepressiva kostenlos und frei Haus bekommen: Licht, Bewegung und sozialen Kontakt. Einmal um den Block, und du hast selbst bei bedecktem Himmel genug Lux getankt, um deinem Hirn zu verraten: Jetzt ist Tag, komm in die Gänge.

Ein paar Schritte an der Hundeleine, und schon hebt sich dank Licht und Bewegung die Herrchenlaune. Der dritte Faktor, das Soziale: Du hast immer einen, der dir zuhört, nie widerspricht, und egal, in welchem Zustand du nachts nach Hause kommst, er wedelt mit dem Schwanz. Das kommt bei Mensch-Mensch-Kontakt eher selten vor.

Außerdem bietet ein Hund dir Schutz. Gerade als älterer Bürger sollte man beim Überqueren der Straße immer einen dabeihaben kein Deutscher überfährt einen Hund.

Darüber hinaus lernt man beim Gassigehen viel leichter and

Menschen kennen. Sogar einen wissenschaftlichen Begriff gibt es dafür: Soziologen haben das Phänomen «Dackelkontakt» getauft.

Falls man dennoch lebensmüde werden sollte, hält der Hund einen bei der Stange. Allen anderen würdest du es gönnen, aber Fifi kannst du es nun wirklich nicht antun.

Eigentlich brauchte man ja keinen echten Hund für all diese positiven Effekte. Aber wer geht schon morgens mit dem ISH Gassi? Der liegt einfach nur neben uns und uns in den Ohren. «Bleib im Bett!»

In genau diesem Moment schlägt die Stunde für den äußeren Schweinehund. Der flüstert nicht, sondern macht eine klar gebellte Ansage: Du stehst jetzt auf, oder ich kack dir auf den Teppich! Das ist beste Verhaltenstherapie. Ein «Dich-aus-dem-Bett-Boxer» oder ein Pekinese auf dem Sofa kann wirksamer sein als viele Jahre auf der Analytikercouch. Warum kommt keine Krankenkasse auf die Idee, dass es viel billiger ist, Stimmungslabilen ein Jahr lang die Hundesteuer zu bezahlen als einen Tag in der Klinik? Wann kommt der Dackel von der Barmer? Oder ein Rottweiler von Ratiopharm? Ist doch eine Superidee! Müsste ich den Kassen eigentlich mal schreiben. Mach ich gleich morgen, direkt nach dem Aufstehen. Ganz sicher. Spätestens übermorgen.

Glauben Sie an Telepathie? Das ist keine Krankheit durch zu viel Fernsehen, nein, sondern die geistige Kommunikation ohne Worte. Doch, so was gibt es. Gerade bei langjährig Verheirateten: Beide sprechen seit zwanzig Jahren kein Wort mehr miteinander, und trotzdem weiß jeder genau, was der andere denkt. Aber auch bei Singles sind telepathische Fähigkeiten durchaus vorhanden: Das Telefon klingelt, du gehst hin, und genau in dem Moment ruft jemand an. Oder auch das: Man liegt in der Badewanne, denkt an jemanden, und just in diesem Moment ruft genau dieser Mensch an. Das kann doch kein Zufall sein!

Mir hat das keine Ruhe gelassen. Ich wollte es genau wissen, bin in die Badewanne gestiegen und hab an Jennifer Lopez gedacht. Sehr intensiv. Sie hat nicht angerufen. Drei Tage nicht. Bis ich komplett verschrumpelt war. Na ja, eine Erklärung könnte sein, dass sie meine Nummer gerade nicht griffbereit hatte.

Das Interesse an Übersinnlichem ist verblüffend größer als das Interesse an den Erklärungen, warum wir so gern an totalen Unsinn glauben. Ganz aktuelles Beispiel: Uri Geller und die telegene Suche nach seinem Nachfolger. Zu empfangen auf ProSieben, aber wenn Sie ein bisschen sensibel sind, können Sie es wahrscheinlich auch ganz ohne Fernsehgerät empfangen – einfach «channeln».

Uri Geller ist wirklich ein Phänomen. Der Mann hat schon vor dreißig Jahren bei Wim Thoelke Gabeln verbogen, dann Jahre später bei Günther Jauch stehengebliebene Uhren zum Laufen gebracht. Und die gleichen ollen okkulten Kamellen bringt er jetzt wieder, in Israel, Amerika und in Deutschland.

Unglaublich? Unglaublich ist, dass dieser Mann als Inbegriff übersinnlicher Fähigkeiten gilt, dabei ist er nichts weiter als ein PR-G und ein Zauberkünstler. Ich sage das nicht ohne Neid, denn ich habe jahrelang selbst als Zauberer gearbeitet und mir von unerzogenen Geburtstagskindern anhören dürfen: «Den Trick kenn ich schon.» Dass Sie von mir als Zauberkünstler bis heute nichts gehört haben, zeigt: Mein Marketing war sehr viel schlechter als das von Uri Geller. Bei ihm ist es nämlich genau umgekehrt. Die Zauberkünstler schreien alle: «Den Trick kennen wir schon», aber weder die Redakteure, noch die Moderatoren oder die Zuschauer wollen ihren Glauben an den Wundermann zerstört wissen. Nehmen wir die Nummer mit den Uhren. Uri sagte: «Holt eure stehengebliebenen Uhren, zieht sie auf, haltet sie in der Hand, konzentriert euch auf meine positive Kraft und ruft an, wenn die Uhr wieder zu ticken beginnt.» Tatsächlich meldeten sich viele Zuschauer. Magie? Mitnichten. Mechanische Uhren bleiben irgendwann stehen. Liegen sie über längere Zeit in der Schublade, verhärtet das Schmieröl in ihrem Inneren. Durch das konzentrierte In-der-Hand-Halten erwärmt sich das Öl und wird wieder geschmeidig – die Uhr beginnt zu ticken.

Skeptiker haben diesen «Trick» mit 100 Uhren nachgestellt, 60 Prozent fingen wieder an zu laufen. Wenn jetzt 3000 von den fünf Millionen Zuschauern anrufen, ist das also kein Grund, auszuticken, sondern eher einer, an Statistik zu glauben. Es wäre ein echtes Wunder, wenn KEINE Uhr zu laufen beginnen würde!

Wenn man sich dann noch klarmacht, dass eine mechanische Uhr auch auf das Magnetfeld reagiert, das ein Fernseher immer ausstrahlt, nicht nur während Uri Gellers Sendungen, sondern auch bei der «Tagesschau», fällt für den Skeptiker viel von Uris Ur-Kräften in sich zusammen. Aber man muss sie eben auch ernsthaft auf die Probe stellen wollen.

Eine Frau verklagte «uns Uri» sogar mal auf mentale Vaterschaft. Sie verhütete mit der Spirale und meinte, er habe diese mental verbogen, sodass sie schwanger geworden sei. Kein Witz.

Albert Einstein wird ja gerne zitiert, um für alle unerklärlichen Phänomene Pate zu stehen. Aber nur, weil wir weder Einstein noch die von ihm begründete Allgemeine Relativitätstheorie begreifen, ist das keine Entschuldigung, Trickkünstler ohne Not in den Heiligenstand zu erheben. Wenn man Einstein zitiert, dann doch bitte auch mit der Aussage: «Zwei Dinge sind unendlich. Das Universum und die menschliche Dummheit. Beim Universum bin ich mir noch nicht ganz sicher.»

Ich sage ja nicht, dass es solche Kräfte nicht gibt. Ich sage nur, dass bis heute niemand die eine Million Dollar abgeholt hat, die der Verband der Skeptiker ausgelobt hat für denjenigen, der vor einer Jury aus Wissenschaftlern, Psychologen und Zauberkünstlern diese Art Fähigkeiten belegt. Um diesen Test haben sich Uri und Konsorten immer herumgemogelt, und alle von sich überzeugten «Medien», die antraten, sind unter Testbedingungen auf menschliches Maß zusammengeschrumpft.

Aber machen wir doch einen anonymen Test unter Ihnen, liebe Leser. Alle, die glauben, dass man Gegenstände allein durch geistige Kräfte bewegen kann, all diese Menschen heben jetzt bitte kurz meinen rechten Arm.

Ich informiere Sie, sobald es zuckt.

Haben Sie schon mal probiert, an gar nichts zu denken? Das ist verdammt schwer. Gleichzeitig gibt es ernstzunehmende Zivilisationen, die genau diese Kunst zum höchsten Ziel ausgerufen haben: NICHTS im Kopf zu haben. In Deutschland ist «Da kann man nichts machen» Ausdruck von Resignation. Andernorts ist «Der kann NICHTS machen» eine Umschreibung höchsten Bewusstseins. Alles nicht zu begreifen. Da sträubt sich der westliche Verstand und murrt: Ja, woran merke ich denn, dass ich genug NICHTS getan habe? Und wann hab ich dann Feierabend?

Man muss ja nicht gleich ins Zen-Kloster, aber «Nichtstun» sei als sinnvolles Hobby wärmstens empfohlen. Im Übrigen ist es eines der wenigen Hobbys, die man garantiert auch nach dem Tod noch praktizieren kann.

Zum Glück gibt es inzwischen Hirnforscher, die meditierende Mönche einmal näher untersucht haben. Die Neurophysiologie der Erleuchtung aufzuklären ist eine faszinierende Idee. Vor allem in den USA versuchen die Wissenschaftler derzeit, dem Gehirn mit hochempfindlichen Elektroenzephalographen und modernsten bildgebenden Verfahren wie der Magnetresonanztomographie beim Meditieren zuzusehen. Zugegeben, die enge Röhre eines lärmenden Magnetresonanztomographen ist wohl ein eher seltsamer Ort, um seinen Geist in den Zustand des «vorbehaltlosen Mitgefühls» zu versetzen, aber gut, wenn man das jahrelang geübt hat ...

Die ersten Befunde des Hirnforschers Richard Davidson dürften den Dalai-Lama kaum überraschen, belegen sie doch eine These, die praktizierende Buddhisten seit 2500 Jahren vertreten: Meditation und mentale Disziplin führen zu grundlegenden Veränderungen im Hirn.

Bereits vor einigen Jahren sorgte ein indischer Abt in Davidsons Labor für eine große Überraschung: Sein linkes Stirnhirn war um einiges aktiver als bei den ebenfalls getesteten 150 Nichtbuddhisten. Dazu muss man wissen: Vor allem optimistische Menschen haben einen aktiveren linken Frontalcortex. Offenbar hält dieses Hirnareal schlechte Gefühle im Zaum und sorgt für die heitere Ausgeglichenheit und Gemütsruhe, die so viele Buddhisten auszeichnet. «Glück ist eine Fertigkeit, die sich erlernen lässt wie eine Sportart oder das Spielen eines Musikinstruments», lautete Davidsons Schlussfolgerung. «Wer übt, wird immer besser.»

Was die Meditationslehrer aller Kulturen uns immer wieder ins Bewusstsein bringen wollen, ist das Bewusstsein dafür, unserem Bewusstsein zu misstrauen, unsere «Realität» nicht zu ernst zu nehmen. Der größte Entertainer der Welt ist nicht Robbie Williams, sondern der Cortex Cerebri, die Hirnrinde. Denn das, was uns das Hirn täglich an Unterhaltung bietet, übertrifft an Authentizität jedes Konzert, an Fiktion jede Fernsehserie. Es zeigt uns Dinge, die so gar nicht sind, und trotzdem glauben wir fest daran, dass die Welt so ist, wie wir sie wahrnehmen.

Solange wir uns keinen Kopf darum machen, haben wir sogar das Gefühl, irgendwo im Körper ein Ich und ein Selbst zu haben – aber besser nicht zu lange darüber grübeln. Die meisten Menschen sind sogar irgendwie von ihrer körperlichen Unsterblichkeit überzeugt, obwohl die historische Faktenlage erschreckend eindeutig dagegen spricht: Bisher sind noch alle irgendwann gestorben.

Wie und warum uns das Hirn all diese Dinge vorgaukelt, ist mit dem reinen Überlebenstrieb der Gene nicht wirklich befriedigend erklärt. Die Forscher lieben deshalb die Meeresschnecke Aplysia, weil sie ein langes Neuron hat, an dem man wunderbar Strom und damit die Aktivität dieser Nervenzelle messen kann. Der Mensch hat aber 100 Milliarden von diesen Nervenzellen, und was die miteinander austauschen, wird ein Rätsel bleiben. Natürlich ist es chic, wenn man bildgebenden Verfahren bestimmte Areale aufblinken sieht. Aber sagt das wirklich? Wenn Sie nachts ein Foto von einer Stadt machen, leuchten auch manche Areale heller als andere. Aber wissen Sie dann etwas darüber, was hinter den leuchtenden Fenstern getan und gedacht wird? Wahrscheinlich ist im Hirn ja sowieso die Hemmung und nicht die Erregung das wichtigste Prinzip. Genauso wie bei dem Foto der nächtlichen Stadt: Die spannendsten Dinge passieren hinter den Fenstern, die gerade nicht leuchten!

Der Trost: Wir sind keine Meeresschnecken mit nur einem Neuron. Wäre unser Hirn so einfach aufgebaut, dass wir es verstehen könnten, wären wir zu einfach strukturiert, um uns all diese Fragen zu stellen. Dass wir uns nicht verstehen, ist paradoxerweise nicht ein Zeichen der Unzulänglichkeit unseres Denkapparats – sondern Zeichen seiner überragenden Qualität!

Fazit: MACHT NICHTS!

Indien – Der Weg zur Erleuchtung im Straßenverkehr

Gelassenheit kann man lernen, dachte ich und flog an die Quelle: zwei Wochen ayurvedische Massage und Meditation in Indien. Über Gelassenheit hab ich viel gelernt, allerdings im Ashram weniger als im Straßenverkehr.

«Please horn, okay!», steht in Indien hinten auf den Lastwagen. «Bitte hupen Sie, es ist okay!» Das ist auf den ersten Blick so verwunderlich, als würde ein Mercedesfahrer hierzulande sich einen Aufkleber machen lassen: «Bitte zerkratzen Sie meinen Lack.»

Nach vielen Tagen des Sinnierens begann ich ansatzweise zu verstehen, dass Hupen in Indien eine völlig andere Dimension hat als in Deutschland. Wer in Deutschland hupt, ist im Recht, und alle, die sich angehupt fühlen, sehen sich in ihren Rechten beschnitten. So kann man mit einem leichten Druck auf sein Lenkrad etwa zwanzig Gallenblasen in der Umgebung direkt auspressen. In Indien nicht. Da hupen alle, und keiner ist beleidigt. Im Gegenteil, man wird ja sogar direkt dazu aufgefordert. Auf der Straße tobt nicht der Kampf ums Überleben, sondern der Tanz des Miteinanderlebens.

Für diesen Tanz gibt es selbst auf der Autobahn keine vorgegebenen Spuren, die Spur entsteht beim Fahren. Gerade nachts in einem Auto zu sitzen ist sehr spirituell. *«You are afraid, my friend? You have to trust existence!»* (Du hast Angst, mein Freund? Vertrau der Existenz!)

Beim Fahren wünscht man sich sofort, Hindu oder Super-Mario zu sein – und mehrere Leben zu haben. Denn weil Scheinwerfer unnötig Batterie fressen, wird die Beleuchtung nachts nur bei Bedarf eingeschaltet, wenn man irgendwie hört, dass einem jemand entgegenkommt. Ein kurzes freundschaftliches Aufblenden – und dann rauscht man wieder unbeleuchtet aneinander vorbei. Will man überholen, wird dies durch besagtes Hupen angekündigt.

Da zuweilen drei Autos parallel auf einer gedachten Spur fahren, bleibt es dem Sportsgeist überlassen, von welcher Seite man überholt. Vorfahrt hat aber grundsätzlich der mit dem teureren Auto. So ist jeder Inder zu einer sehr präzisen Abschätzung des Zeitwerts eines unvermutet in den Verkehrsfluss einschneidenden Fahrzeugs in der Lage, und das in Sekundenbruchteilen, ehe es zum Bruch kommt. Diese Einschätzung allein würde einen Deutschen über Tage beschäftigen und wäre nur durch das Hinzuziehen mehrerer Sachverständiger zu klären, Rechtsweg nicht ausgeschlossen.

Vielleicht kennen Sie das Gefühl aus dem Skiurlaub, wenn der Bus in eine Haarnadelkurve fährt und der Mittelteil, in dem Sie sitzen und gerade aus dem Fenster schauen, kurzfristig über dem Abgrund hängt. Dieses Gefühl hat man beim Busfahren in Indien auch – nur langfristig. Sie hängen über dem Abgrund, ein Laster kommt dem Bus entgegen, aber keiner der Fahrer mag sich so recht entscheiden, auszuweichen. Karma ist wichtiger als Sicherheitsabstand. Alle anderen haben im nächsten Leben ja auch noch Chancen, nur ich arme Christenseele lande vorzeitig im Paradies.

Aber es gibt ja noch die Hupe. Mit vielen Zwischentönen. Für uns Deutsche klingt alles Hupen gleich – gleich aggressiv. Der Inder hält mit der Hupe Smalltalk! Ein Ton, völlig unterschiedliche Signale: TUT – Achtung, ich überhole rechts. TUT – ich fahre in eine nicht einsehbare Kurve, sehe aber nicht ein, nur deswegen meine Geschwindigkeit zu reduzieren. Bis hin zu TUT – ich wollte nur mal testen, ob meine Hupe noch funktioniert, erfahrungsgemäß werde ich sie gleich wieder brauchen.

Selbst das Hupsignal für «Tiere auf der Fahrbahn» ist unterschiedlich, die Intensität richtet sich etwa nach Lebendgewicht, von Katze über Hund bis zu den berühmten Kühen. Die haben selbst zwei Hörner, benutzen sie aber selten. (Dieser Witz ist auf Englisch sehr komisch.) Kein Inder würde eine Kuh anfahren, sowenig wie ein Deutscher einen Hund. Eine Kuh steht auf der Straße und ist. Mit einem «s». Sie ist einfach da. Denn zu essen oder zu tun gibt es für sie auf dem Asphalt nichts. Der Genuss, anderen im Weg zu stehen, scheint nicht auf Homo sapiens begrenzt.

Das allerschönste Phänomen des indischen Straßenverkehrs bleibt allerdings das Rückwärtsfahren. Denn dabei ertönt eine elektronische Melodie, für alle, die hinter einem stehen, sitzen oder liegen könnten. Und – ungelogen – welches betörende Lied ertönt da beim Zurücksetzen inmitten des ohrenbetäubenden Chaos? Stille Nacht, heilige Nacht!

Astrologie – Himmelschreiendes Unrecht Ende August

Seit Menschengedenken suchen wir in der Stille der Nacht nach dem Sinn in uns und über uns. Dabei nach den fernen Sternen zu greifen ist naheliegend. Sie sind so schön verlässlich, unerreichbar und: Sie lügen nicht, wie die Astrologen sagen.

Was haben die Sterne uns wirklich zu sagen, und warum hören wir so gerne zu, wenn uns jemand erzählt, dass unser irdisches Schicksal kosmischen Dimensionen folgt? «Weißt du, wie viel Sternlein stehen?», habe ich als Kind immer gesungen, und weiter: «Gott der He-he-herr hat sie gezäh-hä-let, dass ihm a-auch nicht eines fe-he-let ...» Forscher zählen nicht so genau, sie können nur schätzen, dass es mehr Sterne am Himmel gibt als Sandkörner in allen Wüsten und Stränden der Erde. Aus dieser unvorstellbaren Zahl haben zu babylonischen Zeiten Menschen 150 Sandkörner ausgesucht und sich nach dem Prinzip des Brigitte-Schnittmusters lustige Bilder dazu ausgedacht. Warum gerade diese 150, dieser Teelöffel voll? Dahinter steckt keine Logik, aber weil die Erfindung der Sternbilder schon so lange her ist, werden sie nicht wie Menschenwerk, sondern wie eine höhere Weisheit gehandelt. Einmal kurz hinterfragt: Wie genau soll diese Prise zufälliger Sternenstaub im Schnittmuster mein Schicksal beeinflussen?

Ich würde daran sehr gerne glauben, aber es fällt mir wirklich schwer. Warum sind die Sterne so wichtig bei der Geburt und nicht schon bei der Zeugung? Dass ein Kind bereits im Mutterleib lebt, denkt und handelt, konnte man im alten Babylon nicht wissen. Da war die Vorstellung eines Ultraschallgeräts, mit dem man durch Bauchwände gucken kann, noch absurder, als aus sechs Sternen einen «Großen Wagen» zu basteln und, um Streit zu vermeiden, mit ein paar anderen Sternen gleich den «Kleinen Wagen» dazu, sozusagen als Zweitwagen für die Frau.

Der Babylonier meinte, das Leben beginne mit der Geburt, und die Sternenkonstellation bestimme den Zeitpunkt. Wer einmal hinter die Kulissen einer Geburtsstation geschaut hat, blickt nicht an den Himmel, sondern auf den Dienstplan, denn der hat tatsächlich entscheidenden Einfluss darauf, wer wann zur Welt kommt: Die Oberärzte sind unterschiedlich schnell mit der Geburtseinleitung oder dem Kaiserschnitt. Aber für Astrologen ist nicht der Assistent bei der Geburt des Kindes entscheidend – viel wichtiger ist der Aszendent!

Mit der Minute, die auf der Geburtsurkunde steht, werden ganz genaue Berechnungen ausgeführt. Eine Minute später, und man wäre ein anderer Mensch geworden? Sind genetisch identische Zwillinge nur deshalb nicht identischem Schicksal unterworfen, weil sie unterschiedliche Geburtsminuten haben?

Wer einmal bei einer Geburt dabei war, weiß: Die Minute auf der Urkunde ist selten die tatsächliche Geburtsminute, denn zu diesem Zeitpunkt haben weiß Gott alle Beteiligten etwas Besseres zu tun, als auf die Uhr zu gucken. Hinterher schaut man dann fragend in die Runde: «Wann war das? Um Viertel nach zwölf? Ich schreib mal ‹12 Uhr 17›, das klingt genauer.» Da freuen sich die Astrologen …

Einerseits entscheidet jede Minute, anderseits ist man relativ großzügig, wenn es ums große Ganze geht, denn die astrale Gewissheit hat sich durch die langsame Kreiselbewegung der Erdachse verschoben. Die realen Sterne zu den Bildern am Himmel befinden sich nicht mehr an der gleichen Stelle wie vor 2000 Jahren, trotzdem nutzen viele Astrologen noch heute die alten Konstellationen. Heute weicht die tatsächliche Himmelskonstellation von den astrologischen Tafeln um mehr als zehn Tage ab, das heißt zum Beispiel, dass jemand, dem der Kalender das Sternzeichen Krebs zuschreibt, in Wirklichkeit mit der Sonne im Sternbild Zwilling geboren ist. Aber das scheint niemanden wirklich zu stören. Möglicherweise hat ja das Gefühl, dass die Sterne uns lenken, gar nicht so viel mit den Sternen zu tun?

Das Standardargument für das Wirken der Sterne auf die Erde sind der Einfluss des Monds und der Gezeiten. In dem Fall ist aber eine

Kraft im Spiel, die die Physik gut kennt: die Newton'sche Gravitation. Große Massen wirken auf große Massen, auch über eine bestimmte Distanz. Die Masse eines werdenden Kindes ist aber verschwindend gering im kosmischen Maßstab und die angeblich relevanten Sterne mit ihrer Masse auch noch millionenfach weiter weg als der Mond. Wenn man die Theorie der Astrologen ernst nehmen würde, müsste man also nicht fragen, wie die Sterne standen, sondern wie dick die Hebamme war! Ihre Masse ist viel näher dran am Kind und damit viel wirkungsvoller. Wäre es anders, gäbe es auch im Fruchtwasser Ebbe und Flut!

In einem genialen psychologischen Experiment wurden Studenten gebeten, Horoskope zu beurteilen, die ein Computer extra für sie erstellt hatte. Die allermeisten gaben an, sich gut bis sehr gut von dem Text getroffen zu fühlen. Was die Studenten erst hinterher erfuhren und was keiner wahrhaben wollte: Alle hatten den exakt gleichen Text bekommen. Denn jeder fühlte sich ganz persönlich charakterisiert durch Breitband-Formulierungen wie «In Ihnen steckt mehr, als Sie im Moment nach außen hin zeigen» oder «Von Ihren Zweifeln bekommen Menschen in Ihrer Umgebung gar nicht alles mit». Das Prinzip nennt sich «Barnum»-Effekt, nach dem Zirkus Barnum, der so viel Programm bot, dass für jeden etwas Passendes dabei war. Das erinnert mich ein bisschen an erfolgreiche Politiker, von denen sich auch jeder angesprochen fühlt, weil sie nichts wirklich sagen.

Als ich einmal auf einer Party versuchte, mit diesen cleveren Argumenten eine Frau zu beeindrucken, sagte sie nur: «So, wie du über dieses sensible Thema sprichst, bist du garantiert Jungfrau!» Das stimmt! Keine Ahnung, woher sie das wusste. Die Chancen standen eins zu zwölf. Und ich hab mehr als elf Laien-Astrologen erlebt, die bei mir falschlagen. Aber gewurmt hat es mich doch. Seitdem habe ich auch nie wieder versucht, mit dem Thema zu punkten. Und mir wurde klar, ich bin nur deshalb so schlecht auf die Astrologie zu sprechen, weil ich unter allen verfügbaren Sternzeichen das mit Abstand bescheuertste abbekommen habe! Jungfrauen kommen noch nicht mal auf Zuckertütchen gut weg. Da steht immer: «Ordentlich, penibel, zwanghaft.» Gut, dass die Sterne mich so gut kennen, ich selbst wäre nie darauf gekommen, mich als ordentlich zu bezeichnen. Übrigens auch kein anderer, der jemals in meiner Wohnung war. Vielleicht bin ich auch einfach keine typische Jungfrau. Zwei Tage vorher wäre ich nämlich Löwe geworden, das wäre mal ein cooles Sternzeichen!

Gerade auch für die Partnerschaften, die bisher ausschließlich an kosmischer Inkompatibilität scheiterten, bieten sie Trost, die Sterne. Es ist so viel leichter zu ertragen, dass sich das Luft-Element mit dem Wasser-Element nicht vertragen hat, als zu sagen: Ich hab mich einfach idiotisch benommen.

Horoskope eignen sich immer für einen Gesprächseinstieg, denn Menschen reden gerne über sich und ihre Eigenschaften. Sie berichten sogar die negativen, für die sie ja nichts können, weil ihnen der Kosmos die aufgedrückt hat. Mein Tipp: Streuen Sie selbst zwischendurch ruhig ein paar «Barnum»-Sätze ein: «Dieses wird ein sehr gutes Jahr für dich, ich spüre das, in dir steckt noch viel.» So etwas hört jeder gerne. Wenn Sie Zweifel daran haben, sich auf diese Art beliebt zu machen, seien Sie sicher, «davon bekommen Menschen in Ihrer Umgebung gar nicht alles mit»!

Wenn über die Hälfte der Deutschen Horoskope liest, zeigt das, wie wir alle in der sehr menschlichen Mischung aus Hoffnung und Eitelkeit, aus Selbstzweifel und Überschätzung unserer Bedeutung in diesem Universum unterwegs sind. «Die Sterne machen geneigt, sie zwingen nicht», sagen die Astrologen. Sprich: Trifft was zu, dann war es die Neigung der Sterne, trifft etwas nicht zu, dann sind wir dieser Neigung nicht gefolgt. Wir Menschen sind Meister darin, uns selbst etwas vorzumachen. Vielleicht lügen die Sterne nur deshalb nicht, weil sie uns nicht wirklich viel zu sagen haben, was wir uns nicht auch selbst sagen könnten.

Was lernt man aus alledem? Es gibt nichts, was Menschen mehr bewegt, als andere Menschen und ihre eigene Seele besser kennenzulernen. Dabei ist uns jede Hilfe recht. Die Sehnsucht, von etwas

Großem geleitet zu werden und von diesem Mächtigen Tipps und Winks für das eigene, kleine Leben zu bekommen, ist vielleicht sogar gesund und stabilisierend für die Seele. Deshalb mein pragmatischer Tipp: Lesen Sie so lange Horoskope, bis Ihnen eins richtig gut gefällt, und erklären Sie das dann für gültig für das laufende Jahr – egal, für welches Tierkreiszeichen es eigentlich geschrieben wurde, da muss man nicht so pingelig sein.

Automaten-Mythen – Rubbeln, bis der Groschen fällt

Was machen Sie, wenn eine Münze zweimal durch einen Automaten gerauscht ist, damit sie garantiert beim nächsten Wurf hängen bleibt? Rubbeln? Sie sind in bester Gesellschaft. Nach extensiven persönlichen Umfragen kommt Rubbeln vor den Optionen: raufspucken, gegen den Automaten treten und mit bestem Gewissen schwarzfahren. Ich hasse Klischees, weil sie so oft zutreffen. Männer antworten signifikant öfter mit: «Ich hau dagegen», «Ich notiere mir die Nummer am Automaten und übergeb das gleich an meinen Anwalt», «Ich hole die Flex von daheim und schau nach, was dadrinnen los ist, ich lass mich doch von so einem Automaten nicht verarschen». Frauen nehmen viel eher eine neue Münze. Und Frauen leben sieben Jahre länger. Gibt es da einen Zusammenhang?

In der Medizin geht es immer darum, Zusammenhänge zu erkennen. Zwischen Erregern und Erkrankung, Risikofaktoren und Sterblichkeit, Medikament und Besserung. Aber wie das Beispiel der Münze zeigt, ist Zusammenhänge zu erkennen uns Menschen nicht in die Wiege gelegt. Eher das Gegenteil: Sinn zu finden, wo keiner ist.

Der Wunsch, recht zu behalten, ist beim Menschen tragischerweise viel intensiver ausgeprägt, als das Interesse zu prüfen, ob man überhaupt recht hat. Dafür schrecken wir auch nicht davor zurück, ständig die Realität an unsere Ideen anzupassen. Macht Reiben einen Unterschied? Und warum? Die einen glauben, die Münze wird größer, bleibt dadurch eher im Automaten. Wir nennen diese Fraktion mal: die thermodynamischen Rubbler. Reibung erzeugt Wärme, und Wärme dehnt die Dinge aus. Das haben wir schon in der Grundschule gelernt: Die Sommerferien waren immer ausgedehnter als die Winterferien.

Die ärgsten Feinde der Wärme-Rubbler sind die aerodynamischen Rubbler. Sie glauben, die Münze müsse nicht größer, sondern schmaler werden, windschnittiger. Experten reiben dafür sogar den Rand, um das Fallverhalten der Münze zu optimieren. Eine dritte Fraktion sind die Elektrostatiker. Sie sind fest davon überzeugt, durch das Rubbeln würde sich die Münze aufladen. So wie damals der Ballon an den Haaren oder die Kreppsohle auf dem billigen Teppich. Gänzlich unerschrocken fasst diese Fraktion nach dem Rubbeln den Automaten wieder an. Würde es tatsächlich zur Aufladung kommen, müssten sie eigentlich die Ersten sein, die eine gewischt bekommen. Aber so genau nimmt man es nicht mit der Physik, es geht ja nur darum, eine Theorie zu haben, die uns darüber hinwegtröstet, dass es dem Automaten komplett egal ist, aus welchen Gründen wir gerubbelt haben. Um genauer zu sein, ist es ihm sogar komplett egal, ob wir überhaupt gerubbelt haben. Es macht keinen Unterschied. Warum glauben wir dennoch so felsenfest daran? Weil wir nicht an Statistik glauben, sondern an Einzelschicksale: Gerubbelt – Münze hängt – recht gehabt. Oder: Gerubbelt – Münze fällt trotzdem durch – na ja, ich hätte ja auch länger rubbeln können. Selektive Wahrnehmung: Wir sehen, was wir sehen wollen. Was kann uns davon heilen? Die Statistik. Wer einmal 100 Münzen nimmt, davon die Hälfte reibt, die andere nicht, wird keinen Unterschied im Fallverhalten feststellen. Statistik ist zwar nicht sexy, macht aber schlau. Ich habe bei einem Automatenhersteller nachgefragt: Die Größe der Münze wird schon seit Jahrzehnten in den Automaten gar nicht erfasst. Alles, was der Automat misst, ist die Legierung, also aus welchen Metallen die Münze besteht. Und das ändert sich weder durch Rubbeln, Spucken noch durch Treten!

Ein intakter Automat hat eine Fehlerquote von 1 zu 10. Wenn Sie den seltenen Fall erleben, dass Ihre Münze durchfällt, wird die Münze im zweiten Versuch in 9 von 10 Fällen hängen bleiben. Und zwar völlig unabhängig davon, was Sie in der Zwischenzeit getan haben. Sie können auch einen afrikanischen Regentanz aufführen oder in der Nase bohren – es macht keinen Unterschied; auch wenn es mir sehr leidtut, Sie jetzt so enttäuschen zu müssen!

Das Beispiel mit der Münze erklärt auch sehr viele Phänomene der

Medizin, zum Beispiel, warum so viele wirkungslose Medikamente auf dem Markt sind, auf die dennoch jeder schwört. Und gibt Aufschluss darüber, warum jeder Arzt sich für einen guten Arzt hält. Weil er, metaphorisch gesprochen, nur die Münzen zählt, die hängen bleiben, sprich: die Patienten, die wiederkommen. Mehr könnte er allerdings von denjenigen lernen, die wegbleiben: Entweder war er so gut, dass sie sofort gesund wurden, oder er hat etwas übersehen, und die Leute kommen nicht zurück, weil sie gestorben sind. Weil er aber immer nur die Zufriedenen wiedertrifft, überschätzt er seinen Wert systematisch.

Die schönste Antwort auf die Frage nach der persönlichen Technik am Automaten kam von einer Frau. Sie sagte wörtlich: «Ich lasse die Münze einfach langsamer fallen.» Das ist die andere Seite. Für Männer ist die Schwerkraft eine Konstante von 9,81 m/s^2. Für Frauen ist die Erdanziehung eine Variable. Und wenn eine Frau sich entscheidet, die Gravitation kurzfristig aufzuheben, dann schwebt sie zum Automaten, steckt die Münze vorsichtig ein, und dann fällt diese langsamer. Ganz bestimmt. Wir schwerfälligen Männer stehen staunend daneben und sind dankbar für diese Erinnerung an die Poesie, die in allen Dingen steckt – jenseits von Statistik und Erdanziehungskraft.

Was ist also gesunde Skepsis? An einem Berliner Automaten las ich einmal als Instruktion: «Zweite Münze erst nach der ersten einwerfen.» Und jemand hatte mit einem Edding danebengeschrieben: «Hab es andersrum probiert, es geht auch!»

Moderne Technik

Computer – Wenn Laufwerke zu sehr lieben

Leiden Sie auch unter TRA? Vor kurzem erst warf ein Angestellter mit diesem Symptom seine beiden Computer gleichzeitig aus dem Fenster. Der Computer mit dem Pentium-4-Prozessor war übrigens schneller. Im Ernst: Aggressionen gegen Computer sind keine Einzelfälle. Deshalb ist neuerdings Technology Related Anger (TRA) eine klinische Diagnose, wenn auch in Deutschland leider noch keine anerkannte Berufskrankheit. Eine aktuelle Studie hat ergeben: Wer über dreißig Stunden in der Woche vor dem Computer hockt, übt in den meisten Fällen auch Gewalt gegen sein Gerät aus. Allein dreißig Prozent haben sich schon an ihrer Maus vergriffen. Worin diese Übergriffe wohl konkret bestanden? Verbale Attacken à la «Du Ratte»? Handgreiflichkeiten in Form massiver Doppelklicks auf beide Tasten gleichzeitig? Wie viele wehrlose Mäuse wurden gar am Kabel gezogen?

Eine Soziologin kommentiert die TRA-Anfälligkeit: «Um sich vom PC provoziert zu fühlen, muss man das Gefühl haben, mit dem Gerät in echter Interaktion zu stehen.» Wie bitte? Das steht ja wohl außer Frage! Mein Laptop verbringt mehr Zeit auf meinem Schoß als irgendein anderes Wesen. Was da über die Jahre entstanden ist, gehört zu den stärksten Bindungen, deren ein Mann überhaupt fähig ist! Ich lebe mit, von und durch meinen Anschluss direkt zwischen meinen Beinen. Er weiß, wem ich was schreibe, wir kommunizieren jeden Tag viele Stunden. Es ist ein Geben und ein Nehmen. Ich gebe einen Text – und er nimmt ihn.

Im Gegenzug verrät er mir intime Dinge aus seinem Innersten: wann sein Akku leer ist oder die verschiedenen Seelen in seiner Brust miteinander in Gerätekonflikt geraten. Das Schöne ist, er braucht keinen Alkohol, um zu vergessen. Er kann auch einfach so abstürzen. Ob das auf Dauer gesund ist?

Die hochgeschätzte Soziologin sollte endlich Selbsthilfegruppen einrichten – für die Computer. Für Mäuse, die sich nur hin und her geschoben fühlen, für traumatisierte Hightech-Tastaturen, die durch die Kabellosigkeit unter Bindungsangst leiden. Ein geschützter Raum, wo Hardware endlich auch ihre weiche Seite kennenlernt. Die Geräte werden schließlich immer emotionaler: Anrufbeantworter, die die Gefühle der Anrufer unterscheiden können, gibt es schon. Bald werden sich diese Geräte untereinander anrufen, wenn sie sich von den blöden Menschen alleingelassen fühlen. Sie werden sich an die Medien wenden und eine eigene Soap produzieren: Desperate Answering Machines. Was haben sich Menschen geschämt, als herauskam, dass sie vom Affen abstammen! Es ist nur eine Frage der Zeit, dann schämen sich die Computer, vom Menschen abzustammen. Am besten sagen wir es ihnen nicht, bevor sie reif dafür sind.

Call-Center – Bei Anrufweiterleitung Mord

Im alten China gab es eine grausame Folter: Wer nicht gestehen wollte, wurde gefesselt unter ein tropfendes Fass gesperrt, sodass der Tropfen stetig genau auf einen Punkt am Kopf fiel. Das macht jeden mürbe, und kurz vor dem Wahnsinn sagt man dann zu allem JA. Im 21. Jahrhundert wurde dieses Prinzip wiederentdeckt: bei den Warteschleifen von Call-Centern.

Die Folterknechte, die Mitarbeiter von Call-Centern, werden ja lange geschult. Ich weiß nicht genau, worauf, aber zur Sicherung der Servicequalität hören da immer welche mit. Lieber wäre mir, wenn die Leute, die zum Mithören von Gesprächen abgestellt werden, einfach selbst ans Telefon gingen, ich glaube, das wäre der Servicequalität viel zuträglicher. Aber es widerspricht der Grundidee in Call-Centern, denn Grundregel Nummer eins lautet: nicht gleich rangehen. Sonst denkt der Kunde womöglich, man hätte nichts zu tun und hätte auf ihn gewartet. Das kommt nicht gut, dann werden die immer so fordernd.

Neulich versuchte ich bei der Lufthansa telefonisch ein Ticket zu kaufen. Das hat etwas gedauert, aber es war eine interessante Erfahrung. Denn als medizinisch-psychologisch geschulter Mensch konnte ich währenddessen zehn unterschiedliche Stadien an mir beobachten, in denen mein widerstandsfähiger Geist durch die Schleifenmusik geschliffen wurde.

1. Ich summe die Melodie in der Warteschleife mit, um mich bei Laune zu halten. Dabei ertappe ich mich, wie ich synchron die Ansagen dazwischen mitspreche. «Bitte legen Sie nicht auf.»
2. Ich spreche inzwischen auch Sprachen mit, die ich in der Schule nie gelernt habe: «Reste on Linje, si wu plä.»
3. Ich ahme mittlerweile schon das kleine Knacken nach, wenn das Band wieder an den Anfang springt.

4. Ich beginne mit zwischen Kopf und Schulter eingeklemmtem Hörer meinen Schreibtisch aufzuräumen. Dabei stelle ich mir vor, wie oft ich in der Zwischenzeit bereits mit dem Taxi am Flughafen gewesen sein könnte, um das Ticket am Schalter eigenhändig zu kaufen.

5. Ich hole mir ein Pflaster wegen des Nasenblutens. Die Nasenscheidewand hat der Dauerbelastung durch den Finger auf der Suche nach irgendeinem Erfolgserlebnis nicht standgehalten.

6. Ich bekomme Hunger, will aber jetzt nicht auflegen, in der wahnwitzigen Annahme, dass die Anrufer in der Warteschleife irgendwie aufrücken. Leider kann ich ja den hinter mir in der Schlange nicht wie im Supermarkt fragen, ob er mir den Platz freihält, weil ich eben noch was holen müsste.

7. Ich lege nicht auf und gehe an die Dönerbude in dem Vertrauen, dass, wenn jemand schon sechsunddreißigmal gesagt hat, dass ihm mein Anruf wichtig sei, er dann auch so rücksichtsvoll ist, auf mich zu warten, bis ich wieder zurück bin.

8. Der Döner ist gegessen. Ich überlege, was eigentlich passieren würde, wenn ich meinen Telefonhörer kurz in die Steckdose hielte. Würde dann am anderen Ende der Leitung die Bandmaschine explodieren?

9. Ich suche parallel im Internet nach unterbeschäftigten islamistischen Freiheitskämpfern für die Zerstörung des Call-Centers. Achtung: Hinter Rentokill verbirgt sich nur ein Vermieter für Toilettenhandtücher!

10. Ich überlege, wie viele Wochen nach der Zerstörung aller Lufthansa-Call-Center vergehen würden, bis jemand einen Unterschied im Service bemerkt.

Wenn jetzt jemand rangige, würde ich diesen armen Menschen so was von zusammenfalten, die übelsten international verständlichen Flüche verwenden und derart brüllen, dass er es auch ohne Telefon im Call-Center Seattle hören könnte, denn dorthin wurde mein Anruf, «der uns wichtig ist, legen Sie nicht auf, der nächste frei werdende Platz ist für Sie reserviert», ebendieser Anruf umgeleitet, weil in ganz Europa wohl gerade auf allen Leitungen gesprochen wird. Aber leider geht ja keiner ran, weil der Betriebspsychologe der Lufthansa um diesen labilen Seelenzustand der Wartenden weiß.

Und plötzlich fing ich an, mir die großen Fragen des Lebens zu stellen: Muss ich da wirklich hin, wird mich dieser Flug zu einem besseren Menschen machen? Sind die zwei Stunden, die ich gegenüber einer Bahnfahrt «spare», wirklich 400 Euro wert? Werden mir die vier Stunden Lebenszeit, die mich dieser Telefonterror gekostet hat, im Jüngsten Gericht strafmildernd angerechnet? Wie heißen nochmal meine besten Freunde? Ist es nicht zu Hause am schönsten?

Just in diesem Moment hörte ich plötzlich eine Stimme, und die gestresste Telefonistin fragte mich: «Wie kann ich Ihnen helfen?» Ich flötete ihr ins Ohr: «Danke, nicht nötig. Sie haben mir schon sehr geholfen. Mir ist gerade klar geworden: Ich bleibe daheim. Ich wünsche Ihnen von Herzen alles Gute, auch wenn wir uns nie mehr sprechen!»

Wann haben Sie heute zuletzt Ihre E-Mails gecheckt? Leute, die vor zehn Jahren E-Mail noch für den französischen Ausdruck für Keramikglasur hielten, können inzwischen nicht mehr ohne. Worin besteht der genaue Fortschritt der elektronischen Post? Briefpost kommt einmal am Tag, meistens, wenn es hell ist. Du gehst alles durch und bist einmal am Tag frustriert, weil nichts Gescheites dabei ist. Mit E-Mails lässt sich dieser Frust jetzt über den ganzen Tag verteilen! Das ist der Fortschritt.

Die Medien sind schneller geworden, aber doch nicht die Menschen. Es gibt Tage, da mailt dich kein Schwein an, dabei haben wir doch extra Blackberrys und Push-Service und Hot-Spot-WLAN-Laptops, um nie mehr allein zu sein.

Stattdessen sagt mir mein Laptop in einsamen Hotelnächten Sachen wie: «Die bidirektionale Kommunikation mit dem Drucker konnte nicht hergestellt werden. Klicken Sie auf ‹Problemlösungen›, um Lösungsvorschläge einzublenden.»

Wer hat das getextet, ein Sozialpädagoge? Was die Kiste mir sagen wollte, wurde mir zwei schmerzhafte Stunden später klar: Mach's Kabel ran, du Idiot! Warum dieses Kauderwelsch? Geht es nicht im Klartext, auf gut Deutsch?

Windows ist ja zum Beispiel gar kein Wort aus dem Englischen, sondern eine uralte indianische Prophezeiung. «Weißer Mann wird sitzen vor Bildschirm, starrend auf Sanduhr!» – Alle Microsoft-Anwender wissen, wie grausam diese Vorhersage eingetreten ist.

Wo wir gerade dabei sind: Was heißt eigentlich «online» überhaupt? Kaum verwunderlich, dass das jeder auf Englisch sagt, die Übersetzung klingt ja auch zu blöd: auf dem Strich – zumal das ja nicht für alle Aktivitäten im Internet zutrifft, nur für die kommerziell erfolg-

reichen Bereiche. Erst als ich «online» in andere Sprachen übersetzt habe, verstand ich: ON-LINE ist RELIGION! Auf Latein. Kommt von dem alten Wort re-ligare, was da bedeutet: re, wieder, und ligare, verbinden, also wieder verbunden sein, eben «online»! Ich spürte, es war nicht umsonst, Latein in der Schule gelernt zu haben. Ja, es war gut. Sieben Jahre – für einen Gag!

Online-Sein – heißt Da-Sein. Angebunden an ein höheres Wissen, an eine weltumspannende Macht, die unabhängig von meiner irrenden Existenz weiterlebt, das Internet ist also wie Gott! Halleluja! Was sind die Tugenden der Weltreligionen? Glaube, Liebe, Hoffnung.

Glaube: Ich weiß von einer Frau, sie war gelähmt, jetzt kann sie wieder surfen. Liebe deinen Nächsten, sagt Jesus. Das Internet geht weiter, jede Kuppel- und Pornoseite sagt uns: Liebe den Nächstbesten.

Hoffnung: In der Kirche hofft man auf den Aufbau einer Welt voller Gerechtigkeit. Im Netz hofft man auf den Aufbau einer Seite voller Graphiken. Das Prinzip ist identisch.

Die Dreifaltigkeit: das «W-W-W»! Die Litaneien, die rhythmische Wiederholung sinnloser Silben, um Kontakt zu bekommen: http. www. Gott. Dot. Agnus dei.dot. De seculi a seculi. Slash. Ah-minus-men. Und dann CD-ROM, ROM! Die Ewige Stadt. Da steckte noch Papst Johannes Paul der Zweite dahinter! Diese Handbewegungen, der hatte gar nicht Parkinson, der hat nur zu viel mit der Maus geklickt!

Chat-Rooms sind Beicht-Stühle. Modems, das sind die Heiligen, denn sie stellen die Verbindung her zum großen Provider. Pro Videre. Die Vor-Sehung. Anfang und Ende. Alpha und Omega. A-O-L!

Petrus hat das Passwort zur himmlischen Homepage, zur Domainus domini.

Gott ist nicht wieder Mensch geworden. Der neue Messias ist eine Maschine! Jesus ist der Server. Seine Zeugung war ja schon damals rein virtuell. Unbefleckt. Sozusagen schnurlos. Er hat uns gewarnt vor den falschen Providern und Propheten. An den Früchten sollt ihr sie erkennen. An den Apples!

Selig sind die Mühseligen und Herunterladenden. Ich will sie updaten. Unser tägliches Byte gib uns heute. O weh, weh, weh, Heiliger Geist. Punkt. KOMM!

Wahnsinn im Alltag

Sei spontan – Das wilde Leben aus der Spraydose

Es gibt fast nichts Fieseres, als jemanden aufzufordern: «Du, mach dich mal locker, sei einfach spontan!» Ganz egal, was du dann machst – eins ist es auf keinen Fall: locker und spontan.

Zum Glück kann man sich Spontaneität und Coolness kaufen. Angefangen bei der Jeans: Arbeiterhose, mit einem Hauch von Revolution und blauem Dunst. Als Chemiker das Blau nach jahrelanger Forschung endlich gegen Sonne und Abrieb immunisiert hatten, war vorfabrizierte Abnutzung schon Kult. Stone-washed und tausendmal geschleudert für einen Träger, der selbst nur Schonwaschgang kann: Die Jeans ist bereits durch dick und dünn gegangen, ehe sie den bewegungsarmen Hintern veredelt. Der Stoff gebleicht, der Träger im Sonnenstudio gebräunt, als hätten beide die Sahara-Durchquerung nur knapp überlebt. Als das nicht mehr kultig genug war, haben schlechtbezahlte Kinder in China auch noch Risse in die Hosen machen müssen. Für den Export an reiche Berufsjugendliche. Denn die kommen einfach nicht mehr dazu, so zu leben, dass die Jeans aus echter Spannung reißt.

Zur Hose gehört natürlich noch die richtige Frisur. Jetzt neu: Haargel mit «Out-of-bed-Effect». Dank ausgeklügelter molekularer Gel-Bestandteile kann man nun dauerhaft so aussehen, als käme man gerade erst aus dem Bett. Au ja! Eine Stunde früher aufstehen, im Bad mit teuren Produkten rumhantieren, bis es wieder genauso aussieht wie direkt nach dem Aufstehen. Das ist so bescheuert, wie mit Wet-Gel in echten Regen zu geraten.

Auch neu im Spontaneitäts-Konsumerbereich: «Spray on mud». Schlamm in Sprühdosen. Wer so etwas braucht? Leute, die ihr Ego aufplustern mit SUVs, Sport Utility Vehicles. Sie wissen schon, das sind diese Jeep-Verschnitte mit Kuhgittern als Kindertod. Um 70 Kilo Mensch zu bewegen, werden über 1000 Kilo Stahl bewegt, und es wird das Tausendfache mehr an CO_2 und anderen Abgasen produziert, jede Stunde mehr, als der Mensch durch Lunge und Darm im ganzen Leben auspustet.

Und weil sich gerade Frauen im Straßenverkehr gerne sicher fühlen, fahren sie diese monströsen Geländewagen, deren größte Erfahrung von Wildnis abseits des Asphalts der Kies in der heimischen Auffahrt ist. Und obwohl die SUVs bevorzugt verwendet werden, um Kinder und edle Boutiquen-Taschen mit vereinzelten neuerworbenen Kleidungsstücken sicher hin und her zu kutschieren, sind die hohen Fahrzeuge für Kinder beim Aufprall viel gefährlicher als normale Fahrzeuge mit niedrigem Kühler.

Aber irgendwie fehlt dem Geländewagen gerade in den Augen des Göttergatten eine Spur Männlichkeit. Und hier kommt der künstliche Schmutz zum Einsatz: Ein paar zufällige Spritzer «Spray on mud» an die Karosse – und fertig ist das Abenteuer.

Allerdings kommt ja vielleicht bald die Pkw-Maut. Dann werden wir Lästermäuler alle neidisch zusehen, wie die Jeepfahrer vor der Mautstation plötzlich auf den Acker nebendran ausscheren und sich hinter der Station wieder einfädeln. Mit echtem Schmutz an den Scheiben, in strapazierten Jeans und mit authentischem Angstschweiß unter der Out-of-bed-Frisur.

Last Minute – Nach dem Urlaub reif für die Insel

Dieses Jahr war ich endlich einmal auf Gomera. Offiziell heißt es natürlich La Gomera. «La» ist eigentlich eine Abkürzung für Last Minute: La Gomera, La Palma, La Teinamerika. Wo das alles geographisch liegt, weiß ich nicht. Ist mir auch egal. Ich will mich nicht auch noch im Urlaub um alles kümmern müssen. Die Piloten finden diese Ziele aber eigentlich immer auf Anhieb, ich hab da gute Erfahrungen mit gemacht. Die machen das ja schließlich beruflich.

Gomera ist anders. Man kann nämlich gar nicht direkt hinfliegen, sondern muss zuerst nach Teneriffa und von dort mit der Fähre über setzen. Der Urlaub geht aber gleich schon auf dem Flughafen Teneriffa los. Teneriffa International! Ich beobachte ja gerne Leute, und wenn man sich mit Sprachen ein bisschen auskennt, hört man da auf dem Flughafen Menschen aus Nord, Süd, Ost und West – praktisch aus allen Teilen der Bundesrepublik kommen die da zusammen. Natürlich alles keine Massentouristen, Gott bewahre. Millionen von Individualreisenden!

Ich war überwältigt. Was für ein Flugverkehr! Departure / Abflug: München, Zürich, Paderborn. Kein Witz: Man kann wirklich nonstop von Teneriffa nach Paderborn fliegen! Was wollen nur all die Spanier in Paderborn? Ich stellte mir sofort die Lautsprecherdurchsage des Piloten beim Landeanflug vor: «Ladies and gentlemen, wir nähern uns unserer Final Destination Paderborn. Um Ihre Uhren der Ortszeit anzupassen, stellen Sie sie bitte jetzt um zehn Jahre zurück!»

Wie dem auch sei, ich suchte erst mal den Weg zur Fähre nach Gomera. Es sollte einen Bus geben. Der fuhr auch. Aber leider so, dass er immer gerade dann losfuhr, wenn die Flugzeuge landeten. Der Bus ist staatlich und billig. Taxis sind privat organisiert und teuer. Das mag ich an den südlichen Ländern: Da halten die Leute noch zusammen und sprechen sich ab, da sind die familiären Strukturen noch intakt und deckungsgleich mit der organisierten Kriminalität hinter der scheinbar schlechten Organisation.

Auf allen kanarischen Vulkaninseln gibt es ja immer nur eine Autobahn, die einmal im Kreis um das zentrale Bergmassiv herumführt. Der Taxifahrer war dann auch sehr zuvorkommend und ist extra so gefahren, dass ich die ganze Insel von der Straße aus sehen konnte. Zwischendurch haben wir noch auf einer Autobahnraststätte gehalten, die seinem Bruder gehört – so lernt man Land UND Leute kennen. Ich hatte ja Zeit, die Fähre nach Gomera hatte ich eh schon verpasst.

Auf Gomera gibt es keine Flugzeuge, aber natürlich auch Taxis. Denn auch dort fährt die Fähre nicht dahin, wo alle hinwollen, sondern exakt zum gegenüberliegenden Küstenabschnitt, wahrscheinlich aus historischen Gründen. Dafür hat Gomera keine Ringautobahn, sondern eine ziemlich kurvenreiche Landstraße, die durch die Berge hindurchführt – was den Taxifahrer allerdings nicht davon abhält, auch in den Haarnadelkurven immer den direktesten Weg zu wählen. Zum Glück gibt es hier keine überfrierende Nässe, nur Nebel. Genau genommen fährt man in den Wolken. Während man dann da so fährt und versucht, etwas zu erkennen, versteht man, warum Reinhard Mey nie über die Freiheit IN den Wolken gesungen hat. Irgendwann ging es die ganzen Serpentinen wieder auf der anderen Seite des Berges runter.

Gut, dass ich noch ein bisschen Urlaub hatte, um mich von der Fahrt zu erholen. Am Hotel angekommen, bin ich dann gleich an den Strand gegangen. Wobei ich mich gar nicht so hätte zu beeilen brauchen. Sand im klassischen Sinne gibt es nämlich auf Gomera nicht. Also noch nicht. Die «Körner» haben noch einen ganz praktischen Durchmesser im Dezimeterbereich. Aber bereits in wenigen Milliarden Jahren zukünftiger Erosion wird es auch auf Gomera Sandstrand geben.

Aber so lange kommen da eben die Leute, die nur Strand wollen, nicht hin. Und das ist ja das Entscheidende im Urlaub: dass man nicht die Leute trifft, die nur Urlaub machen, sondern die, die sich auch mit der Sprache und der Kultur beschäftigen wollen. Ich lernte bald: Das Wort Gomera stammt aus dem inselinternen Dialekt und heißt «Insel der alleinerziehenden Mütter mit abgebrochener akademischer Laufbahn und Hass auf die Schulmedizin». Irre, was diese primitiven Sprachen mit nur einem Wort ausdrücken können! Man kommt auf Gomera mit Deutsch allerdings weiter als mit der Landessprache.

Gomera ist so naturbelassen, dass sich keiner traut, solche «Chemiescheiße» wie Sonnenschutz zu benutzen. Olivenöl tut der Haut genauso gut – und hat gleichzeitig den Vorteil, dass sich die Haut beim Sonnenbrand dritten Grades nicht in kleinen Fetzen, sondern als Ganzes ablöst. Eben ein ganzheitlicher Sonnenschutz!

Es gibt auf Gomera ganz viele Aussteiger, die im Einklang mit der Natur leben. In Höhlen direkt am Strand und nach Gesetzen, die älter sind als unsere moderne Gesellschaft: zum Beispiel nach dem Gesetz des Stärkeren. Der darf deshalb auch in der größten Höhle wohnen und mit den schönsten Touristinnen schlafen. Hier ist die Welt noch in Ordnung, alles klar geregelt. Was die da ganz tief erfahren haben, geben sie auch gerne weiter, ohne dass du fragen musst! Die sind eben spirituell schon viel weiter als unsereins. Ich werde nie vergessen, wie einer zu mir sagte: «Schau mal auf das Meer und mach dir mal klar, dass das, was du da siehst, ja nur die Oberfläche ist. Das ist ja schon eine ganze Menge Wasser. Aber unter der Oberfläche ist noch viel mehr Wasser! Aber das sehen wir nicht. Wir sehen immer nur das Wasser, das oben schwimmt! Und das ist in der Gesellschaft genauso.»

An diese weisen Worte muss ich bis heute denken, wenn ich das Meer sehe. Oder die Gesellschaft. Sie sollten auch mal darüber nachdenken, dann war mein Urlaub nicht ganz umsonst. Und dieser Text auch nicht.

Kachelöfen – Erzwungene Aufmerksamkeit für Nürnberg-Feucht

An der Autobahnraststätte halten Menschen aus unterschiedlichsten Gründen. Nach Ansicht eines Herstellers von Zimmerfeuerstätten ist einer davon, sich über Kachelöfen zu informieren. Als Werbefläche hat sich der Ofenbauer ausgerechnet die Wand ausgesucht, an der auch die Pissoire befestigt sind. Während man unten Wasser lässt, prasselt vor einem auf Augenhöhe der Kamin. Zwei Urinstinkte des Mannes werden hier auf perfide Art verknüpft: Feuer machen und im Stehen pinkeln.

Diese beiden an sich schon angenehmen Dinge werden mit der Werbebotschaft in einen emotionalen Zusammenhang gesetzt. Das ist verdammt raffiniert, denn jeder Seitenblick ist auf öffentlichen Toiletten ein Tabu. Selbst ausgewiesene Musikkenner und Genießer schließen, obwohl sie sonst keine Gelegenheit dazu auslassen, beim Urinieren NICHT die Augen. Also ist man gezwungen, die Augen offen und den Blick streng geradeaus zu halten und kann gar nicht anders, als Texte über Kachelöfen zu lesen, für die man sich ohne den entsprechenden Druck auf der Blase nie interessiert hätte. Alle Kamine haben Glas vor dem Feuer, Romantik ohne Rauch. Die Modelle sind nach Herstellerangaben sehr preisgünstig. Wer will schon bei der Anschaffung eines Kamins Geld durch den Schornstein jagen?

Wäre die Welt nicht eine bessere, wenn wir alle allabendlich, statt das flackernde Licht der Glotze anzustarren, meditativ in die Glut glimsten? Die Fernbedienung mit der Streichholzschachtel tauschen würden? Ist es nicht ein bisschen wie die Stand-by-Lampe, wenn nur noch ein bisschen Glut wie ein kleiner roter Punkt an die rasch wieder zu entfachende Kraft des Feuers gemahnt? Statt anonymer Fernwärme gemeinsames lokales Scheitaufschichten für alle in ihrer Schicht Gescheiterten. Eine große Initiative gegen die soziale Kälte …

Ich gebe zu, um bis zu diesem Gedanken zu kommen, muss man schon länger ohne Rastplatzstopp unterwegs gewesen sein und mindestens zwei Liter lang Zeit haben. Aber die hatte ich und hab sie mir auch gerne genommen, um mich mit diesem wichtigen Thema auseinanderzusetzen. Ich fing sogar an, über die freien Pissoirs neben mir zu schauen, und muss sagen, mein absoluter Favorit wurde das Produkt mit dem wohl poetischsten Namen für einen Heizkamin: eine Feuerstätte mit dem dialektischen Titel «Feucht». Und da hielt es meine Neugier nicht länger: Ich wollte wissen, wie es bei den Damen aussieht, habe vor der geheimnisvollen Tür gewartet, bis gerade niemand drinnen war, und setzte mich verstohlen auf die andersgeschlechtliche Schüssel. Und siehe da: Ich starrte den gleichen Schlüsselreizen ins Auge. Innen an der Toilettentür umgarnte mich das Modell «Pisa» – wohl auch für Schulabbrecher geeignet. Befriedigt wollte ich die Toilette verlassen, doch just in diesem Moment stand mir plötzlich eine Frau gegenüber. Fassungslos schrie sie mich an: «Was machen Sie denn hier!» Und es war die wahre Wahrheit, als ich stammelte: «Ich interessiere mich für Kachelöfen!»

Als Arzt weiß ich, wie wichtig es ist, über Gefühle zu sprechen. Deshalb möchte ich es hier und jetzt beichten: Ich fliege nicht gern. Auf Schlau heißt dieser Zustand «Avia-Phobie»: Angst vor dem Flugverkehr. Diese Angst ist verbreitet. Es gibt Familien, die fliegen grundsätzlich nie mit demselben Flugzeug. Es könnte ja was passieren. Als ich neulich mit meiner Freundin den Urlaub plante, sagte ich ihr: «Schatz, keinen Leichtsinn. Verschiedene Flugzeuge – verschiedene Orte.» Es ist dann zum Glück auch nichts passiert. Also mir nicht. Von ihr hab ich seitdem nichts mehr gehört.

Fliegen ist Vertrauenssache. Das beginnt bereits bei der Wahl der Fluggesellschaft. «CONDOR» ist psychologisch gesehen ein sehr guter Markenname. Da denke ich als Erstes an Vogel, Fliegen, Kompetenz. Das hätte allerdings nicht mit jedem Vogelnamen so gut funktioniert. REIHER wäre zum Beispiel eher blöd gewesen.

Sobald man Dinge benennen kann, erscheinen sie einem nicht mehr so furchteinflößend. Die Lufthansa weiß um diesen Beruhigungsmechanismus und tauft ihre Maschinen nach Städten. Da liest man beim Einstieg: Duisburg, Mannheim, Passau. Was mich dabei irritiert: Es sind immer nur Namen von Städten, die niemand so wirklich vermissen würde.

Neulich stieg ich in eine der haarsträubendsten aller Lufthansa-Maschinen ein: in die BRUCHSAL. Ich weiß, es gibt eine Stadt in Baden-Württemberg, die so heißt. Aber das ist doch noch lange kein Grund, ein Flugzeug so zu nennen – das klingt wie Bruchlandung und Schicksal in einem Wort! Ich brauch das nicht, wenn ich einsteige. Ich hab genug eigene Ängste – ganz im Gegensatz zu den Managern in der Businessklasse. Die kennen ja nur eine Angst beim Fliegen: ihre Bonusmeilen nicht rechtzeitig eingelöst zu haben.

Neulich saß ich in der ersten Reihe Economy, direkt hinter der Businessklasse, und das bedeutet, so einen albernen Vorhang direkt vors Gesicht gehängt zu bekommen. Ich hab gefragt, wie der heißt: MCD, Movable Class Divider. Der hängt da aus Sicherheitsgründen, damit auch die blondeste Stewardess rechtzeitig aufhört, Champagner anzubieten.

Doch auch der MCD konnte meine Neugier nicht stoppen. Ich wollte wissen, wie es ist, in der ersten Klasse. Hab meinen Schuh ausgezogen und den Fuß unter dem Sitz durchgeschoben. Ich muss schon sagen, das war sofort ein ganz anderes Gefühl. Das lässt sich gar nicht in Worte fassen. Durch den Schlitz im Vorhang konnte ich außerdem sehen, dass die Herren und Damen Erstklässler sogar noch eine Zeitschrift, ein Käsebrötchen und einen lauwarmen Waschlappen gereicht bekamen. Wer würde dafür nicht gern 500 Euro mehr bezahlen!

Aber das ist noch nicht alles: In der Businessklasse sind die privilegiert vom Anfang bis zum Schluss: Die sind sogar viel früher am Ziel als der Rest der Passagiere ...

Ich liebe den Moment vor dem Start, wenn die Sicherheitsinstruktionen kommen. Stewardessen-Ballett. Synchronschwimmen ohne Wasser. Ich bin so aufgeregt: Ich stelle Zwischenfragen. Nicht, um mich beliebt zu machen. Mir geht es einfach besser, wenn jemand anders noch mehr Angst bekommt als ich.

Der ultimative Tipp dafür ist allerdings: Sobald der Pilot sich vor dem Start zum ersten Mal meldet: «Mein Name ist Manfred Becker, ich darf Sie jetzt nach Zürich fliegen», laut dazwischenzuschreien: «O SCHEISSE, NICHT DER SCHON WIEDER!!!» Dann umschauen – und genießen. Natürlich kenne ich Herrn Becker nicht wirklich, aber wer bisher noch keine Angst hatte, kriegt sie jetzt. So bin ich in guter Gesellschaft.

Habe ich den Start und das Gewackel in den Wolken überlebt, schaffe ich es meist, wenn wir endlich auf «Reiseflughöhe» sind, mich zu entspannen, und schlafe ein. Doch darauf hat der Pilot nur gewartet, um seine «Informationen aus dem Cockpit» loszuwerden: Okay, da draußen sind es gerade minus 50 Grad, unter mir sind 10 000 Meter Nichts. Dafür weckt er mich? Ich werde daran nichts ändern. Diese «Information» sagt mir nur eins: Du solltest nicht hier sein! Schafft man so Vertrauen? Panik steigt in mir hoch. Ich versuche mir so vernünftige Dinge zu sagen wie: «Eckart von Hirschhausen (es beruhigt mich tatsächlich, mich selbst mit Vor- und Nachnamen anzureden), von den 10 000 Metern sind doch nur die letzten beiden gefährlich.»

Um mich abzulenken, schaue ich in die Sitztasche vor mir. Wie viele Spucktüten könnte ich wohl kurzfristig mobilisieren, um mir einen Airbag zu basteln? Ich präge mir die laminierten Fluchthinweise ein und komme ins Grübeln. Zwischen Berlin und Zürich – was genau soll mir da eigentlich eine Schwimmweste bringen? Wo, bitte, sind die Fallschirme?

Eine Stewardess unterbricht meine Gedanken: «Möchten Sie etwas trinken?» Mal ehrlich, die sind aber auch ein komisches Volk, diese Stewardessen, oder? Wissen Sie, wie die sich untereinander nennen? Wirklich wahr: Saft-Schubse!

Auch wenn die Flugbegleiterinnen meist sehr appetitlich aussehen – ich hab über der Erde ganz andere Bedürfnisse als auf der Erde und bestelle dasselbe wie immer: Tomatensaft. Und alle um mich rum ebenfalls. Ich versteh das nicht. Auf der Erde könnten sie mir das Zeug nachschmeißen, ich würde es niemals kaufen, es würde im Kühlschrank ein Jahr vor sich hin schimmeln. Aber sobald man über der Erde ist, antworten alle wie hypnotisiert: «Ja – mit Salz und Pfeffer.» ALLE! 90 Prozent der Tomatensaft-Weltproduktion werden in Flugzeugen konsumiert! Das kann kein Zufall sein. Meine tiefenpsychologische These: Tomatensaft dient hier als ritueller Blutersatz. Alle haben Schiss, und jeder bringt sich für den Fall der Fälle schon mal in eine gute Ausgangslage.

Wenn ich ehrlich bin, macht das ja auch den Kitzel aus: nicht genau zu wissen, ob alles gutgeht. Plötzlich musst du dich den großen Fragen des Lebens stellen: Gibt es ein Leben nach dem Tod, und wenn ja, was ziehst du dazu an? Warum heißt es, wenn ich mit Gott spreche,

GEBET, und wenn Gott mit mir spricht: PSYCHOSE? Und warum ist der Faden, der ein Paar frischgekaufte Socken zusammenhält, immer reißfester als die Socken selbst?

Das will ich wissen.

Die Bahn – Buddha-Fahrt im ICE

Eigentlich stehe ich als Arzt ja unter Schweigepflicht. Also: Das muss wirklich unter uns bleiben. Ich bin da einem Riesending auf der Spur. Eine große deutsche Institution ist vermutlich schon seit längerem fest in der Hand einer Glaubensgemeinschaft. Die Deutsche Bahn! Alles Buddhisten.

Ich kam darauf, als ich zum wiederholten Male im ICE gegen diese Glasschiebetür rannte. Ich dachte, es muss doch technisch möglich sein, dass die sofort aufgeht und nicht immer mit drei Sekunden Verzögerung. Gibt es Elektronik mit Beamtenmentalität? Nein, die machen alles genau so, wie sie es machen, um uns die Tugenden östlicher Religionen zu lehren.

Du rennst geistesabwesend gegen die Tür und hast unmittelbar eine Meditationserfahrung: Du bist plötzlich ganz im Moment, spürst nur dich und deinen Schmerz. Dann gleitet die Tür majestätisch zur Seite und gibt dir mit auf den Weg: «Pilger. Weltenbummler. Wüstensohn. Was rennst du offene Türen ein? Erwache! Genieße das Leben – in vollen Zügen!» Das ist die geheime Botschaft der Bahn.

In alten Schriften habe ich gesucht und weitere Beweise für meinen Verdacht gefunden:

«ya a shâstravidhim utsrjya vartate kâmakârata a
na sa siddhim avâpnoti na sukham na parâm gatim.»

«Doch wer nach seiner Willkür lebt, nicht achtend heiliges Gesetz, Nicht erreicht Vollendung der, nicht Glück und nicht die höchste **Bahn**.»

Doch damit nicht genug: Die größte Schule des Buddhismus nennt sich *Mahayana*. Wörtlich übersetzt: Großes Fahrzeug, das vielen Menschen Platz bietet. Muss ich noch deutlicher werden? Buddha sagt: Du sollst nicht nehmen, was dir nicht gegeben wird. Die Bahn sagt:

Nehmen Sie den Nächsten! Buddha spricht: Alles Begehren muss man «fahrenlassen». Das gilt auch für das menschliche Begehren, im Zug zu schlafen. Früher konnte man die Armlehnen hochklappen und sich einfach quer hinlegen. Aber seit die Buddhisten die Bahn unterwandert haben, gibt es ergonomische Sitze, in denen es unmöglich ist, eine bequeme Schlafposition zu finden. Buddha heißt nicht umsonst: der Erwachte!

Sollte man doch einmal aus Versehen eingeschlafen sein, wechselt garantiert das Zugpersonal und weckt dich wieder auf. Das nenn ich Service. Das grenzt schon ans Hinduistische: die ewige Wiederkehr der Gleichen.

Die nennen sich auch nicht mehr Schaffner, nur noch «Begleiter», um das Spirituelle ihres Tuns zu unterstreichen. Das sind *Bodhisattwas*, ruhende Seelen, die nur noch aus Mitleid im Diesseits und im Dienst verweilen. Du spürst, die müssen das alles nicht mehr tun. Sie tun es aus Liebe zu uns. Du fragst sie etwas Konkretes, zum Beispiel: «Wann sind wir denn endlich da?», und sie antworten mit einem Mantra: «OMMMMM.»

Was ist ein Kursbuch anderes als ein Kamasutra für Triebwagen? «*Evam pi me no. Tathâ ti pi me no. Annyathâ ti pi me no. No ti pi me no. No no ti pi me no ti.*'» Übersetzt: Wenn du mich so fragst und ich dächte, das wäre so, so würde ich dir dementsprechend antworten. Aber so denke ich nicht. Ich denke nicht: Es ist so! Ich denke auch nicht: Es ist anders!

Wow, vor über 2000 Jahren beschreibt jemand exakt die Dialoge am Service Point der Deutschen Bahn! Wie können die Menschen dort im größten Chaos so gelassen hinter ihrem Tresen hocken? Die meditieren! Der Tresen ist extra so gebaut, dass man nicht sehen kann, dass sie im Lotussitz sitzen. Und ab dem zweiten Lehrjahr ganz ohne Stuhl!

Der Frühbucher-Rabatt. Was bedeutet das? Geh in dich, und du weißt, wann du in sechs Monaten mit welchem Zug fahren willst. Denn alles ist vorherbestimmt. Wer daran nicht glaubt, soll ruhig mehr zahlen.

Es geht der Bahn nicht ums Geld, im Gegenteil, nehmen wir nur die 1. Klasse: Mal ist sie ganz vorne am Zug, mal ganz hinten – aber nie in der Mitte vom Bahnsteig. Wer am meisten zahlt, muss das Gepäck am weitesten schleppen, bis dahin, wo das Dach zu Ende ist und man mit dem ganzen Geld im Regen steht. Die Bahn will uns lehren: Wer reich ist, findet schwer zur Mitte. Dabei wartet in der Mitte das freundliche Team der Mitropa. Die Mitte ist Mitropa. Mitropa ist Nirwana. Der Ort, wo alles Begehren für immer aufhört! Wir können im Speisewagen so viel lernen: Nichts wird so heiß gegessen, wie es aufgetaut wird. Sie verwenden nur Fleisch von Tieren, die eines natürlichen Todes gestorben sind. Die Kellner lehren uns: Zeit ist eine Illusion.

Oder das: Du schaust im Bahnhof aus dem Speisewagen auf einen anderen Zug. Und plötzlich könntest du schwören, dass du dich bewegt hast. Aber in Wirklichkeit wurde nur ganz langsam der Bahnhof weggeschoben. Trug der Bewegung. Fahr-Schein!

Der Verstand muss zum Schweigen gebracht werden. Deshalb bringt uns die Bahn auch mit buddhistischen Koans um den Verstand, unlösbaren Rätselfragen wie: «Wenn ein Baum im Wald umfällt und keiner in der Nähe ist, um es zu hören – gibt es trotzdem ein Geräusch?» Oder: «Wenn ein Mann im Wald spaziert und keine Frau ist in der Nähe – ist er trotzdem im Unrecht?»

Die Bahn steht dem in nichts nach. Ihre schönste Meditationshilfe steht auf den Anzeigetafeln im Regionalverkehr. Wörtlich: ZUG HÄLT NICHT ÜBERALL.

Zug hält nicht überall? Wer das versteht, der ist erleuchtet! Es gibt Hoffnung für uns alle, danke, Bahn!

Zugabe

Wein – Die Leber wächst mit ihren Aufgaben

Rotwein hält das Herz jung; er schützt vor Herzinfarkt. Eine kleine Notiz in der Zeitung, und am nächsten Tag wussten es alle. Wenn irgendetwas gut ist, dann denkt der Deutsche natürlich, mehr davon ist besser, nach dem Motto «Viel hilft viel». Die Dosis macht bekanntlich das Gift, aber in gehobeneren Kreisen kommt man ja vor lauter Dozieren gar nicht auf eine wirksame Dosis.

Bier kann man trinken, weil es einem schmeckt, aber Rotwein – davon muss man etwas «verstehen»! Kein Biertrinker käme auf die Idee, dich in der Kneipe mit Verachtung zu strafen, nur weil du nicht über das Hopfen-Anbaugebiet seines bevorzugten Getränkes zu parlieren weißt. Bier ist Bier. Rotwein ist Religion, Weintrinken eine Wissenschaft für sich, die sogenannte Önologie. Was für ein praktisches Wort! Önologie ist wohl die einzige Wissenschaft, die man auch noch bei drei Promille fehlerfrei auszusprechen vermag. Versuchen Sie das mal mit komparatistischer Kryptologie!

Bevor Sie mich jetzt für den kompletten Banausen halten, möchte ich betonen: Ich hab auch meine bevorzugten Lagen. Im Supermarkt. Regal-Lagen. Ich kauf nie im Weinladen – da müsste ich zugeben, dass ich keine Ahnung habe. Dann dieser psychologische Druck: Für einen kostenlosen Probeschluck wirst du moralisch verpflichtet, den Laden nicht unter drei Stunden und fünf Kisten wieder zu verlassen. Und das Gelaber dazu!

Das Regal widerspricht nicht, es hilft dir wirklich bei der Entscheidung. Alles schön nach Preis sortiert. Ganz oben und ganz unten die Kartons. Oben zum Schutz der Flasche, unten zum Schutz des Trinkers. Wer die Nase oben trägt, fühlt sich mit den Grands Crus auf Augenhöhe, der beschämte Alkoholkranke greift automatisch nach unten. Das nenne ich «Kundenorientierung». Ich selbst liege irgendwo dazwischen, je nachdem, wofür ich den Wein brauche. Zum Mitbringen entscheide ich mich aus dem Bauch heraus – auf Bauchhöhe. Sofern ich den Gastgeber namentlich kenne, sonst auch eine Etage tiefer. Je anonymer die Party, desto namenloser darf das Etikett ausfallen. Aber immer Stil bewahren. Man gehört ja nicht zum gemeinen Tetrapack.

Was ich selbst trinken will, wähle ich so auf Halshöhe. Selbstverständlich belese ich mich natürlich vor dem Betrinken. Wo die Weine heute alle herkommen: Amerika, Australien, Abfüllort siehe Laschenprägung. Dass man hierzulande Rotwein aus Südafrika oder Chile dem aus Frankreich vorzieht, ist wohl tiefenpsychologisch die späte Rache der Deutschen für den Vertrag von Versailles.

Schlimmer als alles Weineinkaufen ist jedoch, in Nobelrestaurants Wein zu bestellen. Ich gehe da immer so vor: Beim Blick auf die Karte sehe ich als Erstes nach dem Preis des Weines und schätze dann die Chance ein, ihn richtig auszusprechen. Ich entscheide mich immer für den zweitteuersten – ich bin doch kein Snob. Bei französischen Wörtern, deren Etymologie mir nicht so klar ist, stopfe ich im entscheidenden Moment unter dem Vorwand eines Hüstelns einfach die Serviette in den Mund – dann geht's. Der geübte Sommelier achtet beim Weinbestellen des Gastes eh nicht auf dessen Aussprache. Er schaut nur, wo auf der Karte der Zeigefinger zuckt.

Ich habe inzwischen raus, wie die Jungs wirklich Respekt vor mir bekommen. Ich lasse jeden dritten Wein kommentarlos zurückgehen. Ein Schluck, und dann sage ich sehr bestimmt: «Ich glaube, dazu muss ich nichts weiter sagen, oder?» Seitdem spuren die. Keine Ahnung, ob der Wein noch gut ist oder nicht. Woher soll ich wissen, wie Kork schmeckt, wenn ich immer Weine mit Schraubverschlüssen kaufe!

Im Wein liegt die Wahrheit – der Schwindel im Kleingedruckten auf dem Etikett. Der Profi schaut direkt auf den Flaschenhals, denn ab 9,99 Euro erwarte ich eine Banderole, auf der so etwas steht wie «Appellatione controlada fantasia reservada para ignorantes alemanes». Was so viel heißt wie: Wenn ihr Bürokraten in Deutschland wüsstet, wie viel Spaß wir in unserem Anbaugebiet haben!

Das ist doch auch wieder typisch deutsch, dass wir so sehr auf Kontrolle achten bei einem Produkt, das maßgeblich dazu gekauft wird, die Kontrolle wieder zu verlieren. Was die Kenner beim Geschmack alles unterscheiden wollen, so diffizile Dinge wie «Rückgeruch» oder «Länge». Ehrlich, ich bin froh, wenn ich am nächsten Morgen «Vorgeruch» und «Breite» unterscheiden kann …

Aber bis dahin ist es mitunter ein weiter Weg, und für die langen Abende, an denen sich die Zeit zwischen den Gängen dehnt wie im Zahnarztwartezimmer, verrate ich Ihnen heute ausnahmsweise fünf Regeln, wie Sie sich gekonnt durchbluffen können.

Die wichtigste Regel: Wer fragt, führt. Treffen Sie also beim Trinken mit einem Kenner niemals eine Aussage, sondern bauen Sie stattdessen immer eine Gegenfrage mit ein. Wenn Sie nur einmal etwas Unqualifiziertes sagen wie: «Boah, der ist ja voll rot.» FALSCH! Der Abend ist unrettbar verloren. Richtig dagegen: «Ich erahne in dieser Farbnuance bereits Anklänge von Johannisbeeraromen auf einer erdigen Lichtung im Spätsommerregen. Sie nicht auch?» Da kommt jedes Gegenüber ganz schön ins Schwitzen.

Nach der Kommentierung von Farbe und Geruch kommt der erste ernsthafte Trinkversuch, aber nur ein winziger Schluck. Ihr Kommentar: «Was die Sonne in den letzten Tagen dieser Traube noch mitgegeben hat!» Diesen Satz sollten Sie üben und in allen Lagen draufhaben. Er klingt phantastisch und passt immer. Egal, was Sie trinken, ob weiß oder rot! Notfalls auch zu Prosecco oder Schampus.

Nach dem Aussprechen entscheidend: der Blick ins Leere! Machen Sie eine bedeutungsvolle Pause und zählen Sie innerlich bis dreißig. Sie dürfen auf keinen Fall etwas sagen, aber auch gar nichts! Mit jeder Sekunde, die Sie die Spannung halten, sinkt Ihr Gegenüber tiefer in seinen Stuhl und denkt: «Verdammt, der hat noch Empfindungen, ich spür schon lange nichts mehr.» Gewonnen! Noch ein Kommentar zum Abgang, und nichts kann Sie mehr von der Siegerstraße abbringen: «Wahrlich, dieses Eichenfass schmeichelt dem hinteren Gaumen.» Zu hoch gepokert? Ihr Gegenüber hat tatsächlich Ahnung und weiß, dass das Zeug nie ein Eichenfass von innen gesehen hat? Kein Problem. Werden Sie großzügig, schenken Sie nach und machen Sie sich eine weitere Facette von alkoholischen Getränken zunutze, die retrograde Amnesie. Auf gut Deutsch: Sorgen Sie dafür, dass Ihr Gegenüber am nächsten Morgen gar nicht mehr weiß, mit wem und worüber gesprochen wurde. Und dann, wenn es Ihnen genehm ist – machen Sie einen harmonischen Abgang.

Bleibt noch die Frage: Wie viel soll man denn wirklich trinken? Die unschädliche Dosis ist schnell erreicht, das klassische Achtel für die Damen, das Viertel für die Herren. Eleganter formuliert der Chinese: «Hör auf zu trinken, bevor du glaubst, die anderen wollen dich singen hören.» Oder etwas medizinischer: Bedenken Sie bei allem, was Sie trinken: Die Leber wächst mit ihren Aufgaben.

Liebe Leserinnen und Leser,

die Leber wächst, aber nach 220 Seiten ist kein Platz mehr im Buchraum. Wenn Sie einen roten Faden in diesem Buch gefunden haben, dürfen Sie ihn gerne behalten. Sie müssen ihn nicht einschicken und nehmen auch an keinem Gewinnspiel teil.

Die Geschichten stammen aus unterschiedlichen Teilen meines Hirns und meiner kabarettistischen Laufbahn. Wer meinen Werdegang schon länger begleitet, wird hoffentlich seine Lieblingstexte finden. Zwei meiner persönlichen Lieblingsnummern erscheinen erstmalig zum Nachlesen: Aus meinem ersten Kabarettprogramm «Sprechstunde» stammt die *Bahn auf Buddhafahrt*, eine Nummer, die dank den Herren Mehdorn und Schnell nie an Aktualität verliert. *Akupunktur am Auto* ist aus «Sprechstunde forte».

Das Beglückendste am Schreiben ist, wenn man sich selbst überrascht. Plötzlich steht da etwas, und du weißt gar nicht richtig, wer es da hingeschrieben hat. Klingt komisch, ist aber so. Zum Glück gibt es moderne Musen, die auch küssen, wenn man am PC schreibt.

Dank den realen Musen und Geburtshelfern dieses Buches:

Susanne Herbert, meiner Managerin, die dieses Buch dem Rowohlt Verlag verkauft hat, bevor es existierte, und die alles gelesen, korrigiert und verbessert hat.

Julia Vorrath, meiner Lektorin, die von Verlagsseite liebevoll darauf bestand, dass das Buch dann doch irgendwann existiert, die ebenfalls alles gelesen, korrigiert und verbessert hat und irgendwann sogar die gleiche Version und Vision von dem Text hatte wie ich.

Meinen Eltern, ohne die weder das Buch noch ich existierte.

Der Existenz für dieses Wort und das Sein an sich.

Dank an Esther Wienand für die wunderbare Gestaltung einer Vorderseite, die sich auch von hinten sehen lassen kann.

Dank meinen Freunden und privaten Glücksbringern, Hilla, Sebastian, Stephanie, Hannes, Ulla, Jan und allen, die mich schon länger begleiten und aushalten.

Christoph Stählin und Sebastian Krämer, zwei der besten zeitgenössischen Poeten deutscher Zunge, die in mir die Liebe zur Sprache wieder wachgeküsst haben. Und Tobias Glodek, der die Wörtherseen vor dem Austrocknen bewahrt.

Herzlichen Dank auch an Sie, liebe Leser, fürs Lesen. Vielleicht haben Sie das Buch sogar gekauft, oder sich schenken lassen. Sie dürfen es auch gerne verleihen oder weiterschenken, oder noch mal kaufen – am besten im Original. Denn rein praktisch lohnt sich nach meiner Erfahrung bei Büchern das Kopieren und Brennen kaum.

Möge dieses Buch das Komische in der Medizin befördern. Seit ich selbst nicht mehr im Krankenhaus arbeite, ist vieles anders geworden, die Arbeitsbedingungen für Ärzte und Pflege und viele Heilberufe nicht lustiger. Mit «Rote Nasen Deutschland e.V.» versuche ich schon seit vielen Jahren, das therapeutische Lachen in Form von Clowns auf die Klinik-Stationen zu bringen.

Weil sich Humor nicht als Tablette, wohl aber als Geisteshaltung einnehmen lässt, wird es wenig beforscht. Deshalb bereite ich die Gründung der Stiftung «Humor hilft heilen» vor. Wer die Idee unterstützen möchte oder bisher noch nicht wusste, wohin mit seinem Geld, ist herzlich willkommen. Alles Weitere auf www.hirschhausen.com.

Berlin, im April 2008